S0-AVU-192

DATE DUE

¡LIBRO #1!

M

¡JON SCIESZKA!

fórmula mejorada por
¡FRANCESCO SEDITA!

ilustrado por
¡SHANE PRIGMORE!

El club de los bichos raros

¡LIBRO #1!

Montena

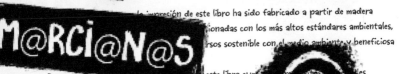
Título origin... ...

...tación del d... ... ...ndom House Mondad...

...ón: junio ... ...

...rdo con Simon + S... ...ster Children...

... el texte ...ció...

© 2... ...
Trav... ...arcelona
© 2011, Víct... ...traducción
Ilustración de la o... ... Shane Prigmor...

P... ...mpreso en Esp...

...N: 978-84-8441-707-1

...B-22.204-2011

Para los **m@rci@n@s** ... a 58 de Nueva York que
riginal... ...storia: Adam, Addy, Andrea, Bianca, Brad,
Carlyle, ...a, Evie, Jonathan, Jo... ... Jose... ...in, Lily, Mickel,
Nelson, Peyton, Regin... ... Stev...

Para los m@rci@n@s de sus pr... ... ...mily.

Y para su m@rci@nísima ... ...selle.

J. S.

Para Kent y Marian Prigmore. Gracias por ...

creciera como un m@rci@... ... ...

El papel utilizado para la impresión de este libro ha sido fabricado a partir de madera procedente de bosques y plantaciones gestionadas con los más altos estándares ambientales, garantizando una explotación de los recursos sostenible con el medio ambiente y beneficiosa para las personas.

Por este motivo, Greenpeace acredita que este libro cumple los requisitos ambientales y sociales necesarios para ser considerado un libro «amigo de los bosques». El proyecto «Libros amigos de los bosques» promueve la conservación y el uso sostenible de los bosques, en especial de los Bosques Primarios, los últimos bosques vírgenes del planeta.

Título original: *Spaceheadz*
Adaptación del diseño de la cubierta: Random House Mondadori / Judith Sendra

Segunda edición: junio de 2011
Publicado por acuerdo con Simon + Schuster Books for Young Readers, un sello de Simon + Schuster Children's Publishing Division

Printed in Spain - Impreso en España

ISBN: 978-84-8441-707-1
Depósito legal: B-22.204-2011

Compuesto en Compaginem
Impreso en SIAGSA
Encuadernado en EGEDSA

GT 1 7 0 7 1

Para los m@rci@n@s del Colegio de Primaria 58 de Nueva York que originalmente me inspiraron esta historia: Adam, Addy, Andrea, Bianca, Brad, Carlyle, Cedrick, David, Evie, Jonathan, Jordan, Jose, Kristin, Lily, Mickel, Nelson, Peyton, Reginn, Ryan y Steven.

Para los m@rci@n@s de sus profesores, Sandi y Emily.

Y para su m@rci@nísima directora, Giselle.

J. S.

Para Kent y Marian Prigmore. Gracias por dejar que vuestro hijo creciera como un m@rci@n@. Os quiero, viejos.

S. P.

¡Capítulo 1!

@T@QUE M@RCI@N@

å t åœ ¨ ´   µ å ® ç ˆ å ˜ ø

Michael K. acababa de mudarse al barrio neoyorquino de Brooklyn y sabía que el primer día en su nuevo colegio iba a ser extraño. ¿Cómo no iba a ser extraño si, para empezar, el cole se llamaba C. P. 858? Pero nunca imaginó que aquella iba a ser una experiencia tan marciana. Solo llevaba veinte minutos en su clase de quinto cuando ya:

1. La señorita Halley lo había asignado al grupo de los rezagados, junto con aquella pareja de bichos raros que también eran nuevos.

2. La nueva se había comido la mitad de su lápiz.

3. El nuevo acababa de decirle que su amiga y él eran extraterrestres, recién llegados de otro planeta.

—Sí —dijo Michael K.—, yo también soy nuevo en la ciudad.

La nueva sacó músculo con el brazo y, con voz como de comentarista de boxeo, exclamó:

—**¡K. O.!**

—Vaya... —dijo Michael K., fingiéndose impresionado.

Sí, los tres eran nuevos, pero aquellos dos estaban como cabras. Si se le pegaban el primer día, su vida en el colegio estaba sentenciada.

—**JUST DO IT!** —exclamó el nuevo de pronto.

La rarita pintarrajeó la palabra «M@RCi@N@S» en su fiambrera de la *Guerra de las galaxias*.

Vaya par de raritos...

—Michael K., **¡*NOS ENCANTA VERTE SONREÍR!*** —dijo el niño—. Necesitamos tu ayuda. Tienes que unirte a los M@RCI@N@5 para salvar tu planeta. Me llamo Bob.

—Y yo, Jennifer —se presentó la niña, con su voz grave y reverberante.

Michael K. se quedó mirando cómo Jennifer mordisqueaba el resto de su lápiz Stabilo HB 2.

¿Cómo sabía Bob su nombre si él no se lo había dicho? ¿Y qué querría decir con eso de «salvar tu planeta»? Se estaban quedando con él, seguro que era eso. Le estaban tomando el pelo.

Michael K. decidió seguirles el juego... y a continuación corrió la silla para apartarse lo más posible de ellos.

—Ya entiendo —dijo—. Sois extraterrestres llegados a la Tierra en misión especial. Habéis venido aquí para apoderaros del planeta. Pues, venga, llevadme ante vuestro jefe. Zzz, zzz.

—¿Ves? ¡Te lo dije, Jennifer! —exclamó Bob—. Michael K., **EL MUNDO ES TUYO**. Eres increíble, eres el mejor.

Jennifer eructó la gomita del lápiz de Michael K. Su único lápiz. La expulsó de un escupitajo.

—M@RCI@N@S: **¡LISTOS PARA EL COMBATE!** —exclamó Jennifer.

—Hiiic hiiic —chilló el hámster de la clase.

El aula 501-B en pleno se quedó en silencio. Solo se oía a la señorita Halley rasgando la pizarra con la tiza.

Por una milésima de segundo, Michael K. pensó que quizá Bob y Jennifer no estuvieran de broma.

Que quizá fueran de verdad extraterrestres llegados de otro planeta.

Pero fue una milésima de segundo; enseguida se dio cuenta de lo absurdo de aquella ocurrencia.

Los extraterrestres no aterrizan en los colegios. Ni se visten como niños de quinto de primaria. Y tampoco hablan como anuncios de televisión o como boxeadores.

Bob y Jennifer seguramente serían extranjeros. Estarían algo desorientados.

Seguro que era eso.

¿Seguro?

¡Capítulo 2!

´¬ å©´~†´ πå®∂ø

Si hubiera sido de noche, un letrero escacharrado de neón habría iluminado con su chisporroteante y mortecina luz roja aquel minúsculo estudio.

Pero no era de noche.

Eran las 9.42 de la mañana. En la diminuta habitación solo entraba un débil rayo de luz, mucho polvo y el rugido del tráfico.

La luz venía del sol, situado a ciento cuarenta y nueve millones seiscientos mil kilómetros de distancia. El polvo y el ruido venían de la autopista Brooklyn-Queens, situada a siete metros de distancia del minúsculo apartamento.

El agente Pardo estaba sentado a la mesa de su cocina. Ajeno al polvo y al zumbido de los coches, lustró sus ya relucientes zapatos negros y, a continuación, su ya reluciente chapa de la Agencia Anti-Alienígenas, o AAA, para abreviar.

En aquella ciudad siempre ocurrían cosas. Había que estar preparado en todo momento.

Un timbrazo telefónico interrumpió su tarea.

Pardo agarró su Telepepinillo®, el móvil que le había proporcionado la agencia, y se puso a la escucha.

—¿Dónde están las llaves? —preguntó una voz aguda al otro lado del auricular.

Pardo contestó con cautela:

—En el fondo del mar, matarile-rile-rile.

—Alerta roja —anunció la voz de pito—. Alerta roja. Posible VEA en su sector. Se han detectado ondas en las coordenadas D-7. Repito: D-7. Proceda con extrema precaución.

—Matarile-rile-ron —respondió Pardo—. Chimpón.

¡Eureka!: una posible Vibración Energética Alienígena. Por fin se le presentaba la oportunidad de echar el guante a un auténtico extraterrestre. Y de ascender y conseguir de una vez por todas un apodo profesional en condiciones. Un sobrenombre con un color chulo, como Agente Azabache, por ejemplo, o Marengo, o Mandarina Atómica incluso.

—Una cosa más, Pardo.

—¿Sí?

—Que no se repita el incidente de Papá Noel. No queremos publicidad.

—Descuide, jefe. Ese expediente se archivó hace siglos.

—Ah, ¿sí? Entonces, ¿por qué lo estoy leyendo en este mismo instante en la gacetilla del blog?

El agente Pardo se quedó mirando su Telepepinillo®.

—Déjelo en mis manos, jefe. El mundo está a salvo conmigo. Ya conoce mi lema: «Proteger, servir y estar siempre alerta».

El Telepepinillo® emitió un zumbido. La comunicación se había cortado en mitad de su solemne perorata. Otra vez. ¿A quién se le habría ocurrido darle un móvil con forma de pepinillo? Es lo que pasa cuando uno es el último detective en escoger nombre y móvil. Todos los teléfonos chulos ya habían volado.

Pero eso pronto iba a cambiar. ¡Tenía ante sí una posible VEA! ¡Fantástico! La gran ocasión para todo detective de la AAA: su razón de vivir, su gran sueño, el motivo por el que se lustraba los zapatos.

«Pero antes —se dijo—, mejor que eche un vistazo a la gacetilla del blog.» Entró en *www.antialienagency.com* y pulsó la pestaña «Agent Buzz», donde se colgaban los chismes sobre los agentes del cuerpo.

Nuestro agente se quedó petrificado.

—¡Oh, no! —exclamó, tapándose los ojos.

No podía seguir leyendo.

Todo estaba allí: la vergonzosa historia contada de cabo a rabo para todo el que entrara en la página de la agencia y quisiera leerla.

¡Pero si en jefatura le habían dicho que la destruirían! ¿Por qué el agente Magenta se dedicaba a divulgar a los cuatro vientos el bochornoso incidente del Santa Claus chamuscado?

Pardo cerró la tapa de su Cereportatil®, el ordenador modelo caja de cereales que le había proporcionado la A A A.

Muy bien, pues había llegado su oportunidad.

Ahora se iba a enterar el tal Magenta de lo que Pardo era capaz. Ahora se iba a enterar también el jefe. Y el mundo entero.

El agente corrió la cortina aislante que colgaba de su única ventana y dejó la habitación completamente a oscuras.

A continuación abrió su Decodificador de Coordenadas®, también propiedad de la A A A. Movió su portaaviones e insertó una clavija roja en el agujero de la casilla D-7.

Luego apagó la luz de la habitación y enfocó su Iluminador A A A® sobre la Cuadrícula Localizadora® para que proyectara la imagen del decodificador.

Después desplazó un dedo por la línea de la D y otro por la del 7.

El rugido de un enorme camión de reparto de Coca-Cola que circulaba por la autopista sacudió la habitación entera.

Los dedos del agente Pardo confluyeron en un cuadradito rojo sobre el plano de Brooklyn.

¡Capítulo 3!

AULA 501-B

—C. P. 858, aula 501-B —fue leyendo la señorita Halley mientras escribía el nombre de la clase en la esquina derecha de la pizarra—: ese será vuestro hogar a lo largo de este curso. Y vosotros, alumnos míos, seréis mis cometas, «Los cometas de Halley», ¡porque sois lo mejor de la galaxia!

Bob y Jennifer saltaron de sus asientos y se pusieron a gritar y vitorear como si estuvieran en la entrega de los Oscar de Hollywood.

El hámster de la clase dio tres vueltas de campana y se pegó un porrazo en la cabeza contra el cuenco donde le ponían la comida.

—¡Dios bendito! —exclamó la señorita Halley.

La señorita Halley trabajaba como maestra en el C. P. 858 desde hacía treinta y siete años. Pero en los treinta y seis años que llevaba dando clase a los de quinto, nunca había visto nada semejante.

—Se agradece el entusiasmo —dijo la señorita, ajustándose las gafitas para echar un vistazo a la lista de alumnos. Pero como los dos escandalosos no figuraban en el listado, pensó que a lo mejor el otro nuevo los conocería—. Michael K., ¿podrías explicar a tus amigos que en este país el entusiasmo lo manifestamos aplaudiendo sin levantarnos de la silla?

—¿Qué? ¿Quién, yo? —respondió Michael K.—. No, si yo no soy amigo de Bob y Jennifer. No los conozco de nada.

—Gracias, Michael K. Muy servicial por tu parte darme los nombres de tus amigos. —La señorita añadió con su perfecta caligrafía los nombres «Bob» y «Jennifer» a la lista de alumnos—. Si no te importa, te llamaré Michael K., porque este año tenemos más de un Michael en clase y tu apellido es demasiado largo. Si quieres, puedes comunicarte con tus amigos en vuestro idioma.

Bob y Jennifer se pusieron a dar voces de nuevo. La clase entera se quedó mirando a Michael K. Tenía que hacer algo.

—Como usted diga, señorita. Pero la verdad es que no los conozco... ¡Bob y Jennifer, silencio! ¡Sentaos de una vez! —exclamó Michael K.

Bob y Jennifer se sentaron en el suelo.

—¡No! ¡En la silla!

Bob y Jennifer tomaron asiento en sus respectivas sillas.

La maestra continuó con la introducción del curso como si no hubiera pasado nada.

—Este año la clase 501-B contará con una página web propia. Nuestro nuevo profesor de informática, el señor Boolean, me ha ayudado a crearla.

La niña sentada detrás de Jennifer sonrió a Michael K.

Su compañero de pupitre interrumpió el cómic que estaba dibujando para clavar la mirada en él.

La señorita Halley siguió hablando, más para sí misma que para la clase:

—No tenéis más que escribir: «w-w-w-punto-m-r-s-h-a-l-l-e-y-s-c-o-m-e-t-s-pun-to-c-o-m».

En la página encontraréis la programación del curso y todo el material que vais a necesitar. El calendario escolar. Los trabajos que tenéis que hacer. Y, mirad, hasta se puede consultar el tiempo. Y también lo que comeréis cada día en la escuela.

Bob hizo una mueca en dirección a Michael K., enseñándole los dientes.

—Practico mi sonrisa —le dijo en un susurro—, porque estoy contento de que la Misión M@RCI@N@ se haya puesto en marcha. *TU MENTE NECESITA LIBERARSE*.

—Únete a los M@RCI@N@S —añadió Jennifer.

—Hiiic hiii hiii —replicó el hámster.

—Pues claro que puede —contestó Bob al animalito—. El mundo es de Michael K.

Michael K. tenía miedo de preguntarlo, pero no le quedaba más remedio.

—Y ese hámster, ¿qué pinta aquí? —Intentó decirlo en voz baja, pero algunos de sus compañeros miraban ya hacia ellos con curiosidad.

—¿Quién, Pelusilla? —dijo Bob—. Pues es el comandante de la misión.

El hámster miró sonriente a Michael K.

—Los M@RCI@N@5 te necesitamos —dijo Bob—. **EMPIEZA EL DÍA CON UNA SONRISA**.

El grandullón sentado al fondo de la clase fingió atornillarse un dedo en la sien, con ese gesto universal con el que se indica que alguien ha perdido la chaveta.

Las cosas se estaban poniendo feas. Pero que muy feas.

—A mí no me habléis —les dijo Michael K.

¡Capítulo 4!

¿POR QUÉ?

E l resto de la mañana resultó tan marciano como el principio.

—¿Que por qué? —repitió la señorita Halley—. ¿Cómo que por qué?

En treinta y siete años que llevaba dando clase, ningún niño le había preguntado nunca por qué. Aquellos búlgaros o lo que fueran los nuevos la traían por la calle de la amargura.

—Pues... porque sí... porque es lo que hay que hacer.

Jennifer no quedó satisfecha con la respuesta. En absoluto satisfecha.

De hecho, la puso de muy mal humor.

Las luces de la clase disminuyeron de intensidad. El reloj de pared que colgaba a espaldas de la señorita Halley de pronto se adelantó cinco minutos y luego se retrasó tres.

—Esto no funciona, Bob —gruñó Jennifer—. Vamos a hacer las cosas a mi manera. Ya va siendo hora de sacar los puños.

Bob intentó calmar a su amiga y sugirió:

—Señorita Halley, ¿podría ser porque levantando la mano el sistema elimina desechos?

Toda la clase se echó a reír.

Michael K. arrastró su pupitre hacia la ventana, para apartarse lo más posible de Bob y Jennifer.

—No —respondió la maestra con firmeza—. Levantar la mano no ayuda a eliminar desechos. Pero cuando se necesita ir al servicio o se quiere hacer una pregunta, antes hay que levantar la mano.

Bob sugirió otra posibilidad:

—¿Podría ser porque levantando la mano vas más rápido?

Otra vez risotadas.

Michael K. abrió su *Manual gigante de ciencia y curiosidades* y se enfrascó en el libro como queriendo desaparecer.

A la señorita Halley estaba a punto de darle un soponcio. Preguntar por qué había que levantar la mano era como cuestionar por qué salía el sol por las mañanas. ¡Vaya preguntita!

La maestra levantó la vista... y encontró la respuesta delante de sus narices.

—Santo cielo, fijaos qué hora es. Son las once y diez. Ya podéis cerrar vuestros cuadernos y poneros en fila para salir al patio.

Los niños cerraron sus cuadernos y se pusieron en fila. La maestra sonrió. Por fin volvía el orden. No más preguntas.

Pero en ese instante Jennifer decidió poner en práctica la lección recién aprendida: levantar la mano.

La señorita Halley no podía pasar por alto sus propias normas.

—Dime, Jennifer.

—¿Por qué?

—¿Por qué qué?

—¿Que por qué tenemos que ponernos en fila?

Todos se quedaron de piedra.

—Eso digo yo, ¿por qué tenemos que ponernos en fila? —preguntó el grandullón del fondo.

—¿Porque es algo **CIEN POR CIEN NATURAL**? —sugirió Bob.

La clase rompió a reír de nuevo. Bob estaba feliz.

—Sí —mintió la señorita Halley—. Venga, todos en fila.

Michael K. cerró su libro y se colocó en la fila tan lejos como pudo de Bob y Jennifer.

Redes

Las arañas forman su tela conectando una red de hebras centrales de seda con otras de menor tamaño.

El cerebro humano está formado por una red de neuronas conectadas las unas con las otras. Al circuito de señales eléctricas que se forma entre dichas neuronas lo llamamos «pensamiento».

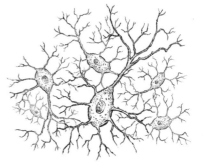

Un pastel viene a ser un pastel y poca cosa más.

—¿Se puede saber qué estáis haciendo? —preguntó Michael K.

Bob se había colocado detrás de Michael K., y Jennifer, detrás de Bob.

—Seguimos las normas de la señorita Halley —respondió Bob.

Michael K. se volvió.

Acto seguido, Bob se volvió.

Y Jennifer se volvió.

Michael K. no daba crédito a sus ojos.

—¡En el recreo no hay que ponerse en fila! ¡Eso lo sabe todo el mundo!

Bob y Jennifer lo miraron sorprendidos y siguieron en fila detrás de él.

Michael K. ya no aguantaba más. Estaba viviendo la peor pesadilla de su vida. Bueno, una de las peores. También estaba aquella del monstruo bajo la cama. Pero entonces era un bebé. Esta era una pesadilla a lo bestia, una pesadilla de quinto de primaria.

Su primer día en un cole nuevo y, cuando más necesitaba integrarse, iban y se le pegaban los dos mamarrachos más mamarrachos de Brooklyn. Todo el colegio iba a tomarlo por un bicho raro a él también.

Michael K. fue a sentarse junto a la verja del cole.

Bob y Jennifer tomaron asiento en fila india junto a él.

—Mirad —dijo Michael K.—, no sé de donde sois ni qué problema tenéis, pero...

—Sí que lo sabes, ya te lo hemos dicho —lo interrumpió Bob—. Acuérdate: somos **M@RCI@N@S**. Y nuestro problema es que necesitamos convertir en **M@RCI@N@S** a tres millones ciento cuarenta mil un terrícolas.

—¿Y qué ocurrirá si no lo conseguís? —replicó Michael K.— ¿Unas naves espaciales gigantes harán estallar la Tierra con cañones láser? ¿Lanzaréis una tormenta de fuego extraterrestre contra el planeta? ¿Lo destruiréis con un meteoro gigante?

—¡Eso sí que sería todo un espectáculo! —exclamó Jennifer.

—No —respondió Bob—. Nada de eso. Pero si no conseguimos reunir a los **M@RCI@N@S** que necesitamos, la Tierra se extinguirá.

—Y nosotros ya no podremos escuchar nuestras ondas terrícolas favoritas —añadió Jennifer.

Michael K. intentó descifrar lo que acababa de oír. Tenía la cabeza hecha un lío. De pronto le asaltaron un par de ideas, como fogonazos.

—¿Qué quiere decir eso de que la Tierra se extinguirá? Y si de verdad sois extraterrestres, ¿qué hacéis invadiendo una clase de quinto? Además, ¿para qué me necesitáis a mí?

—Hiii hiii wiii —se oyó en el bolsillo de Bob. El comandante Pelusilla asomó el hocico y trepó hasta la cabeza de Bob.

—Tienes razón —dijo Bob—. Tú eres el comandante en jefe. Explícale a Michael K. en qué consiste la misión M@RCI@N@.

Jennifer agarró un palito y se puso a mordisquearlo.

Michael K. miró atónito al comandante Pelusilla.

—H^{iiic wiiic} —explicó el comandante Pelusilla.

»Hiiic hiiic hiiic wiiic.

»Hiiic hiiic hiiic hiiic hiii. Hiii hiii, hiii hiiic ꞷiii ꞷiiic. Hiiic ꞷiii hiiic hiiic ꞷiii ꞷiiicꞷiiic. Wiii hiiic hiiic, hiiic ꞷiiic hiiic, ꞷiiic ꞷiiic ꞷiiic. Hiiic hiiic hiiic hiiic hiii. Hiii hiii, hiii hiiic ꞷiii ꞷiiic. Hiiic ꞷiii hiiic hiiic ꞷiii ꞷiiicꞷiiic. Wiii hiiic hiiic, hiiic ꞷiiic hiiic, ꞷiiic ꞷiiic ꞷiiic.

»Wiiic hiiic hiiicꞷiii ꞷiii ꞷiii hiiii hiii hiiic hiiic. Hiiic hiic hiiic hiiic hiiic. Hiii hiii, hii hiiic ꞷiii ꞷiic. Hiiic ꞷiii hiiic hiiic ꞷiii ꞷiiicꞷiiic. ¡Wiii ꞷiii ꞷiii! Hiiic hiiic hiiic, hiiic ꞷiiic hiiic, ꞷiiic ꞷiiic ꞷiiic. Wiiic hiiic ꞷiii ꞷiii hiiic hiii, ꞷiii ꞷiii ꞷiii ꞷiiihii hiiic. Wii hiiic. Hiii ꞷiii. Wiiic hiiic hiiicꞷiii ꞷiii ꞷiii hiii hiii hiiic hiiic.

»Hiiic hiiic hiiic hiiic hiii. Hiii hiii, hiii hiiic ꞷiii ꞷiiic. Hiiic ꞷiii hiiic hiiic ꞷiii ꞷiiicꞷiiic. Wiii hiiic hiiic, hiiic ꞷiiic hiiic, ꞷiiic ꞷiiic ꞷiiic. Wiiic hiic ꞷiii ꞷiii hiiichiii, ꞷiii ꞷiii ꞷiii ꞷiiihiii hiiic.

»Wiii hiiic. Hiii ꞷiii. Wiiic hiiic hiiicꞷiii ꞷiii ꞷiii hiii hiii hiiic hiiic. Hiiic hiiic hiiic hiiic hiii. Hiii hiii, hiii hiiic ꞷiii ꞷiiic.

»Hiiic ꞷiii hiiic hiiic ꞷiii ꞷiiicꞷiiic. Wiii ꞷiii. Hiiic hiiic hiiic, hiiic ꞷiiic hiiic, ꞷiiic ꞷiiic ꞷiiic. Wiiic hiiic ꞷiii ꞷiii hiii-chiii, ꞷiii ꞷiii ꞷiii ꞷiiihiii hiiic.

»Hiii ꞷiii. Wiiic hiiic hiiicꞷiii ꞷiii ꞷiii hiii hiiic hiiic. Hiiic hiiic hiiic hiiic hiii. Hiii hiii, hiii hiiic ꞷiii ꞷiiic. Hiiic ꞷiii hiiic hiiic ꞷiii ꞷiiicꞷiiic. Wiii ꞷiii ꞷiii ꞷiii ꞷiii.

»Hiiic hiiic hiiic, hiiic ꞷiiic hiiic, ꞷiiic ꞷiiic ꞷiiic. Wiiic hiiic ꞷiii ꞷiii hiiichiii, ꞷiii ꞷiii ꞷiii ꞷiiihiii hiiic. Wiii hiiic. Hiii ꞷiii.

»Hiii hiiic, ꞷiii ꞷiii hiii hiii hiiic hiiic. Hiiic hiiichiiickhiii-chiii. Hiii hiii, hiii hiiic ꞷiii ꞷiiic. Hiiic ꞷiii hiiic hiiic ꞷiii ꞷiii-cꞷiiic. Wiii hiiic. Hiii ꞷiii. Wiiic hiiic hiiicꞷiii ꞷiii ꞷiii hiii hiii hiiic hiiic. Hiiic hiiic hiiic hiiic hiii.

»Hiii hiii, hiii hiiic ꞷiii ꞷiiic. Hiiic ꞷiii hiiic hiiic ꞷiii ꞷiiic ꞷiiic. ¡Wiii ꞷiii ꞷiii! Hiiic hiiic hiiic, hiiic ꞷiiic hiiic, ꞷiiic ꞷiiic ꞷiiic. Wiiic hiiic ꞷiii ꞷiii hiiichiii, ꞷiii ꞷiii ꞷiii ꞷiiihii hiiic. Wiii hiiic. Hiii ꞷiii. Wiiic hiiic hiiicꞷiii ꞷiii ꞷiii hiii hiii hiiic hiiic.

»Hiiic hiiic hiiic hiiic hiii. Hiii hiii, hiii hiiic ꞷiii ꞷiiic. Wiii ꞷiii ꞷiii. Hiiic hiiic hiiic, ꞷiiic ꞷiiic ꞷiiic. Wiiic hiiic ꞷiii ꞷiii hiiichiii, ꞷiii ꞷiii ꞷiii ꞷiiihiii hiiic. Wiii hiiic. Hiii ꞷiii. Wiiic hiiic hiiic ꞷiii ꞷiii ꞷiii hiii hiii hiiic hiiic. Hiiic hiiic hiiic, ꞷiiic ꞷiiic ꞷiiic. Wiiic hiiic ꞷiii ꞷiii hiiichiii, ꞷiii ꞷiii ꞷiii ꞷiiihiii hiiic. Wiii hiiic. Hiii ꞷiii. Wiiic hiiic hiiic ꞷiii ꞷiii ꞷiii hiii hiii hiiic hiiic. Hiiic hiiic hiiic, ꞷiiic ꞷiiic ꞷiiic. Wiiic hiiic ꞷiii ꞷiii hiiichiii, ꞷiii ꞷiii ꞷiii ꞷiiihiii hiiic. Wiii hiiic. Hiii ꞷiii. Wiiic hiiic hiiic ꞷiii ꞷiii ꞷiii hiii hiii hiiic hiiic

El comandante Pelusilla estornudó. Luego olfateó el aire y prosiguió:

—Hiii hiii, hiii hiiic ωiii ωiiic. Hiiic ωiii hiiic hiiic ωiii ωiii-cωiiic. ¡Wiii ωiii ωiii! Hiiic hiiic hiiic, hiii ωiiic hiiic, ωiiic ωiiic ωiiic. Wiiic hiiic ωiii ωiii hiiichiii, ωiii ωiii ωiii ωiiihiii hiii.

»Wiii hiiic. Hiii ωiii. Wiiic hiiic hiiicωiii ωiii ωiii hiii hiii hiiic hiiic. Hiiic hiiic hiiic hiiic hiii. Hiii hiii, hiii hiiic ωiii ωiiic. Hiiic ωiii hiiic hiiic ωiii ωiiicωiiic. Wii hiiic. Hiii ωiii. Wiiic hiiic hiiicωiii ωiii ωiii, hiii hiii hiiic hiiic. Hiiic hiiic hiiic hiiic hiii. Hiii hiii, hiii hiiic ωiii ωiiic. Hiiic ωiii hiiic hiiic ωiii ωiii-cωiiic.

»¡Hiii hiii! Hiiic hiiic hiiic, hiiic ωiiic hiiic, ωiiic ωiiic ωiiic. Wiiic hiiic ωiii ωiii hiiichiii, ωiii ωiii ωiii ωiiihiii hiiic. Wiii hiii hiiic.

»Hiii ωiii.

»Hiii hiii, hiii hiiic ωiii ωiiic. Hiiic ωiii hiiic hiiic ωiii ωiii-cωiiic. ¡Wiii ωiii ωiii!

»Hiiic hiiic hiiic, hiiic ωiiic hiiic, ωiiic ωiiic ωiiic. Wiiic hiiic ωiii ωiii hiiic hiii, ωiii ωiii ωiii ωiiihii hiic. Wiii hiiic. Hiii ωiii.

»Wiiic hiiic hiiicωiii ωiii ωiii hiii hiii hiiic hiiic. Hiiic iiic hiiic hiiic hiii. Hiii hiii, hiii hiiic ωiii ωiiic. Hiiic ωiii hiiic hiiic ωiii ωiiicωiiic. Wiii hiiic. Hiii ωiii. Wiiic hiiic hiiicωiii ωiii ωiii hiii hiii hiiic hiiic. Hiiic hiiic hiic hiiic hiii.

»Hiii hiii, hiii hiiic ωiii ωiiic. Hiiic ωiii hiiic hiiic ωiii ωiii-cωiiic. Wiii ωiii ωiii. Hiiic hiiic hiiic, hiiic ωiiic hiiic, ωiiic ωiiic ωiiic. Wiiic hiiic ωiii ωiii hiiichiii, ωiii ωiii ωiii ωiiihiii hiii hiiic ωiii ωiii.

»Hiii hiiic hiii hiii hiiic hiiic ωiii ωiiic.

»Wiii hiiic. Hiii ωiii. Wiiic hiiic hiiicωiii ωiii ωiii hiii hiii hiiic hiiic. Hiiic hiiic hiiic hiiic hiii. Hiii hiii, hiii hiiic ωiii ωiiic. Hiiic ωiii hiiic hiiic ωiii ωiiicωiiic. Wii hiiic. Hiii ωiii. Wiiic hiiic hiiicωiii ωiii ωiii, hiii hiii hiiic hiiic. Hiiic hiiic hiiic hiiic hiii. Hiii hiii, hiii hiiic ωiii ωiiic. Hiiic ωiii hiiic hiiic ωiii ωiiic-ωiiic.

»¡Hiii hiii! Hiiic hiiic hiiic, hiiic ωiiic hiiic, ωiiic ωiiic ωiiic. Wiiic hiiic ωiii ωiii hiiichiii, ωiii ωiii ωiii ωiiihiii hiiic. Wiii hiii hiiic ωiii ωiii.

»Hiii ωiii.

»Hiii hiii, hiii hiiic ωiii ωiiic. Hiiic ωiii hiiic hiiic ωiii ωiii-cωiiic. ¡Wiii ωiii ωiii!

»¡Hiii hiii! Hiiic hiiic hiiic, hiiic ωiiic hiiic, ωiiic ωiiic ωiiic. Wiiic hiiic ωiii ωiii hiiichiii, ωiii ωiii ωiii ωiiihiii hiiic. Wiii hiiic hiiic. Wiiic hiiic ωiii ωiii hiiichiii, ωiii ωiii ωiii ωiiihiii hiiic. Wiii hiiic hiiic.

El comandante Pelusilla hizo una pausa y estiró las patitas delanteras.

—¡Hiiic hiiic!

¡Capítulo 6!

¿QUÉ QUÉÉÉ?

Michael K. se quedó mirando fijamente al comandante Pelusilla.

Bob y Jennifer se quedaron mirando fijamente a Michael K.

—Bueno, ¿qué? —preguntó Jennifer.

—¿Qué te parece, Michael K.?. —preguntó—. **NATURAL COMO LA VIDA MISMA**, ¿verdad?

—¿Que quééé? —dijo Michael K.

Radio y televisión

Las emisiones de radio y televisión se transmiten a través de ondas.

Esas ondas están siempre en movimiento.

Dentro de cien años algún, receptor de un planeta lejano podría captar el anuncio de Burger King que visteis ayer por televisión.

¿DÓNDE APARCO?

?∂ø~∂´ åπå®çø¿

Muchos terrícolas creen que, por norma general, es imposible encontrar aparcamiento cuando uno lo necesita.

Pero esa opinión se debe a que la mayoría de terrícolas no suele hacer demasiados desplazamientos por el universo. Si no, sabrían que esa norma es... universal: ocurre en todas las dimensiones del espacio.

Además, es una norma que no falla.

Así pues, cuando la oxidada furgoneta blanca estacionó junto al patio del colegio de primaria 858, fue porque no había podido encontrar aparcamiento en dos kilómetros a la redonda. Como era de esperar.

El conductor del vehículo —un señor vestido con un mono de color azul deslucido y unos deslumbrantes zapatos negros— aparcó la furgoneta delante de una boca de riego.

Tenía que pasar precisamente ese día, con lo desesperado que estaba por aparcar. Y cuanto antes. Se había detectado una VEA en aquellas coordenadas, y tenía que ponerse en acción. De inmediato.

Primero se le pasó por la cabeza dejar a la vista su carnet oficial de la AAA a la vista en el parabrisas, por si llegaba la grúa. Pero, entonces, ¿de qué servía utilizar la tapadera de la cría de hormigas? Además, aquel carnet nunca le sacaba de apuros. De todos modos, siempre terminaban multándole. O la grúa se llevaba su furgoneta. O le ponían multa y se llevaban su furgoneta. Un fastidio, tanto una cosa como la otra, por no hablar de las dos a la vez. Mejor se quedaba dentro de la furgoneta, al acecho. Tomando datos. Solo datos.

Colegio. ☑

Patio del colegio. ☑

Tres escolares con aspecto raro, en fila india junto a la verja. ☑

Acompañados de un hámster. ☑

Niños jugando al corre que te pillo. Niños jugando a la pelota. Arena. ☑

Plexiglás. ☑

Pequeño granero, silo y árboles de plástico verde. ☑

¿Dónde podrían haberse metido aquellos extraterrestres? Mira que ir a esconderse en un colegio... ¡Menudos bribones! Tendría que aguzar su detectivesca vista de lince.

Pardo salió de la furgoneta y se dio un coscorrón con la puerta.

Un coscorrón de aquí te espero.

—¡Aaay!

El agente vio las estrellas. Y también vio a un jugador de lucha libre descomunal. Y también un unicornio rosa centelleante.

Aaay, qué dolor. Qué dolor más grande.

Pardo cerró los ojos y se frotó el chichón.

Luego fue dando tumbos hasta la parte trasera de la furgoneta. Y sacó del interior sus utensilios de criador de hormigas.

Pardo cerró con un golpe la puerta trasera del vehículo y enfiló hacia el patio de recreo del C. P. 858, camino de su cita con el destino.

Legal o ilegalmente aparcado, tendría que correr el riesgo por el bien de la humanidad.

Fiel a su lema: «Proteger, servir y estar siempre alerta».

Por el camino fue ensayando mentalmente el discurso que pronunciaría ante el agradecido presidente de Estados Unidos: «De nada, señor. No hice más que cumplir con mi trabajo como detective de la AAA...».

Razón por la cual, seguramente, no vio el meteoro de caucho rugoso que iba directo hacia él.

Ondas.

Hay muchas cosas que se mueven formando ondas.

El agua

El sonido

La luz

La energía

¿Las ideas?

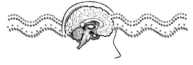

Si pudiéramos alterar el movimiento de las ondas, cambiaríamos el modo en que se ven las cosas, el modo en que suenan, el modo en que... ¿piensan?

¡CLARO QUE PUEDO

ç¬å®ø œ¨´ π¨´ðø

—**¡D**ÉJATE SORPRENDER! —exclamó Bob.

Michael K. sacudió la cabeza y salió del trance en que había caído mientras escuchaba al comandante.

—¿Qué? Pero ¿qué ha dicho? ¿Me estáis tomando el pelo? ¿De qué vais?

Jennifer se puso en pie y empezó a dar paseítos arriba y abajo.

—Bueno, se acabó —dijo—. *¡YA ES HORA DE SACAR LOS PUÑOS!*

Michael K. se puso en pie de un salto.

—Un momento, un momento. Pero ¿cómo lo habéis conseguido? ¿Cómo lo habéis hecho para que pareciera que el hámster hablaba?

—Bueno, él es así, un fenómeno. *BUSQUE, COMPARE Y, SI ENCUENTRA ALGO MEJOR, CÓMPRELO.*

Bob sonaba igualito que un anuncio.

—Me estáis poniendo los pelos de punta —dijo Michael K.

—Bueno, ¿qué? —dijo Bob—. ¿Nos ayudas a M@RCI@NIZ@R a esos tres millones ciento cuarenta mil terrícolas?

—Más uno —añadió Jennifer.

Michael K. miró primero a Jennifer, luego a Bob y luego al comandante Pelusilla.

Decididamente, salía de Guatemala para entrar en Guatepeor. Cualquiera diría que había entrado en un manicomio en vez de en un cole.

Sus neuronas se dispararon creando rápidamente un nuevo circuito.

Michael K. pensó:

Pero no podía ser cierto. Las neuronas de Michael K. se tranquilizaron de nuevo. Enseguida crearon un circuito habitual, más seguro y familiar.

—Imposible —dijo—. No sois extraterrestres. Los extraterrestres no existen. Si fuerais extraterrestres, tendríais la cabeza enorme, brazos de pulpo y los típicos platillos volantes o cañones láser.

—Tendría que haberme traído los rayos láser, te lo dije —refunfuñó Jennifer.

—No —replicó Bob—. Eso ya se discutió. Lo ponen todo hecho un asco.

—Wiii hiiic hiii —terció el comandante Pelusilla.

—Eso además —convino Bob.

—Imposible —repitió Michael K., más que nada para convencerse a sí mismo—. No. Imposible. Si de verdad sois alienígenas, ¿dónde está vuestra nave espacial, vuestro rayo mortal o lo que sea, eh?

—Nosotros no usamos naves espaciales —contestó Bob.

—Ah, ya, claro —dijo Michael K.

—Nosotros cambiamos de canal —explicó Jennifer—. Se trata de un simple ajuste de ondas. Lo llamamos «deslizamiento transdimensional». Hasta un znerflig sería capaz de hacerlo. Pero venga, vamos. **¡AL CUADRILÁTERO!**

Michael K. se había quedado sin habla.

—Te enseñaremos a hacerlo —dijo Bob—. Los M@RCI@N@5 estaremos **A TU LADO EN TODO MOMENTO**.

Bob metió la mano en el bolsillo, sacó un rectangulito negro con botones y se lo enseñó a Michael K.

—¡Tachán! —exclamó.

—Muy bonito —dijo Michael K.

Pero en ese instante se le ocurrió un plan.

—Así que tenéis un mando a distancia. Genial. Eso ya es otra cosa, ahora ya os creo. Pues claro que sois extra-terrestres. Esperad aquí un momento, enseguida vuelvo.

—Estupendo —dijo Bob—. *¡LA VIDA ES MÓVIL!*

—¡Listos para el combate! —exclamó Jennifer.

—Hiiic hiiic —añadió el comandante Pelusilla.

Michael K. retrocedió pasito a pasito. Su plan era el siguiente:

1. Le diría a la monitora del patio que Bob y Jennifer estaban como cabras.

2. Advertiría a la directora del cole de que Bob y Jennifer estaban como cabras.

3. Llamaría al 091 y le diría a la policía que Bob y Jennifer estaban como cabras.

—Ya te dije que Michael K. se uniría a los M@RCI@N@S —dijo Bob.

—¡Fenomenal! —exclamó Jennifer—. Entonces, ¿podemos hacer uso de las otras ondas disponibles?

Jennifer agarró el mandó a distancia. Pulsó tres botones. Y donde antes estaban Jennifer, Bob y el comandante Pelusilla, el hámster de la clase... de pronto aparecieron:

Michael K. pensó:

El jugador de lucha libre pulsó el botón de retroceso del mando.

Y Jennifer, Bob y el comandante Pelusilla aparecieron de nuevo.

—Hiii hiii hiiic wiiic hiii —observó Pelusilla.

—Es verdad —contestó Bob—. ¡Y casi nos olvidamos de lo otro!

Michael K. creyó que no podría soportar un solo disparate más.

De todos modos, Bob lo soltó:

—No podemos caer en manos de la AAA.

Un cuerpo lanzado a través del espacio describe una trayectoria llamada «curva».

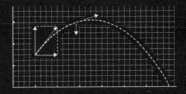

Si lanzas una pelota al aire, describirá una curva.

Un cuerpo que se mueve en una dirección fija describe una trayectoria llamada «recta».

Un detective de la AAA que anda por un patio de recreo describe una recta.

El punto donde una curva se cruza con una recta se llama «intersección».

Aunque, para el agente Pardo, la intersección de la curva que describió aquella pelota con la recta que él describía fue un sonoro ¡PUMBA! en la cabeza... Luego, oscuridad.

—Que sí. Que te digo yo que sí. ¡QUE HA SIDO FUERA DE JUEGO!

El hombrecillo con el uniforme negro sopló el silbato con tanto ímpetu que casi le estallan los cristales de las gafotas.

—¿Quién va a sacar la falta?

Un chico se acercó a la pelota para ponerla en juego.

—¿Qué me estabas diciendo?

Michael K. intentó atraer la mirada del monitor del patio.

El señor Rizzuto tenía sus gruesas gafotas clavadas en el juego.

—Decía que los nuevos esos —repitió Michael K. —están mal de la cabeza.

—Hay que buscar el área. ¡FALTA!

—Incluso podrían ser peligrosos —añadió Michael K.

—El muchacho tiene buen pase —dijo el señor Rizzuto.

—Creo que deberíamos informar al... FBI, por ejemplo.

—Me recuerda a Iniesta.

—O a la CIA.

—Aunque muy buena puntería no es que tenga.

—O a...

—¡ESA VA PARA GOL!

»PERO...

»... PERO...

»PERO ¿ADÓNDE VA...? ¡Oh, cielos!

»¿Qué hace ese hombre cruzando por el patio? ¡TOMA YA! ¡Lo ha tumbado! ¡Ha perdido el conocimiento! ¡Santo cielo! ¡Que alguien llame a la enfermera!

El agente Pardo miró a su alrededor. Lo veía todo negro. Tan negro como el espacio sideral.

De pronto vio un planeta, una motita redonda de nada.

La motita creció hasta convertirse en una bola, un disco, un círculo de arena enorme, enorme.

«¿Qué es eso?»

A lo lejos vio dos árboles verdes gigantes, bidimensionales.

Y luego, la silueta de un molino verde gigante.

Junto al molino, un granero verde. Un puente verde. Una casa verde.

«Igual hay alguien dentro —pensó Pardo—. Igual podrían ayudar a un forastero extraviado.» Pero, antes de que tuviera tiempo de llamar a la puerta, una antena larga y negra salió retorciéndose del suelo. Y después, otra. Y tras las dos antenas, un par de enormes pinzas negras, una cabeza, unas patas, un cuerpo...

Aquella no era una granja de seres humanos.

Era una granja de hormigas gigantes.

La criatura salió trepando por el agujero. Y tras ella, un tropel de hormigas. Hormigas zanqui-largas, que hacían vibrar sus antenas y entrechocaban las mandíbulas.

Pardo intentó huir. Las piernas apenas le respondían. Se hacía difícil correr por aquella tierra tan dura.

Entonces oyó el clic, clic.

Cada vez más alto... **más alto... más alto...**

Los ojos del agente Pardo se abrieron de repente.

La cara borrosa de una gigantesca hormiga se alzaba imponente sobre él.

—¡AAAAAAAAAHHH! —chilló Pardo—. ¡Por favor, no me comas! ¡Comerse a un detective contraviene la regla 837-USZ!

Algo frío y con tacto como de goma lo agarró por la cabeza.

—¡Ya está bien de quejarse! —lo reprendió una voz humana.

Cuando Pardo logró enfocar la vista, resultó que la descomunal hormiga era en realidad una señora, con grandes gafotas de montura negra y cofia blanca.

La enfermera del colegio incorporó al agente y le examinó el chichón.

Un hombrecillo con gafas de culo de botella y uniforme negro lo miraba fijamente.

Un corrillo de escolares lo rodeaba.

—¡Qué jugada! —exclamó el grandullón que acababa de lanzar la rugosa pelota de caucho—. Si el cráneo de este hombre no la llega a detener, entra en la portería seguro.

—¡Santo cielo! —exclamó el de las gafas de culo de botella.

—¿Qué pasa? —dijo Pardo.

—Creo que ha perdido el conocimiento —respondió la enfermera—. Venga, que se va usted a tumbar un rato en la enfermería.

—Gracias, señora, pero tengo una misión que cumplir.

—Aquí solo hay una misión que valga, señor Fulanito: llevar este cuerpo maltrecho a mi enfermería y descansar un rato.

El agente Pardo intentó oponerse.

Pero nadie, en ningún planeta, en ninguna galaxia, sale jamás ganando en una discusión con una enfermera.

La señorita Dominique agarró a Pardo por el brazo y se lo llevó a regañadientes hasta la enfermería del C. P. 858.

El señor Rizzuto hizo sonar el silbato.

Los alumnos de quinto se pusieron en fila para volver a clase.

Michael K. pasó sin darse cuenta sobre una tarjeta que se había caído de la bolsa del criador de hormigas de la AAA.

Campos electromagnéticos

La energía electromagnética no se ve, pero la Tierra posee un campo magnético. Es como si el planeta entero fuera un gigantesco imán.

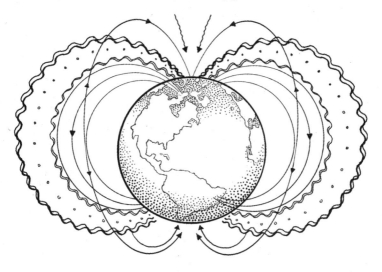

¿Creéis que las personas podrían poseer su propio campo electromagnético?

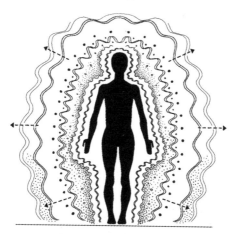

Capítulo 12

IMPRESIONES
^µπ® ´ß^ø~ƒß

El resto de aquel primer día de cole resultó ser mucho peor que su extraño comienzo.

Aquí unos cuantos momentos destacables:

1. Dado que la señorita Halley no aceptaba cambios de pupitre en los primeros seis meses de curso, a Michael K. le tocó ocupar otra vez el mismo asiento, junto a Bob y Jennifer. Y el comandante Pelusilla.

2. Los del grupo de lectura también se sientan juntos para comer, así que a Michael K. le tocó disfrutar tanto de *La casa de la pradera* como de sus *nuggets* de pollo en compañía de Bob y Jennifer.

—Pero ya lo leí el año pasado... —dijo Michael K.

—Pues así este curso se lo podrás leer en inglés a tus compañeros de grupo —contestó la maestra.

—¿Dónde tiene un pollo los *nuggets*? —preguntó Jennifer.

—Aquí la piel del plátano no se come —dijo Michael K.

3. Los que se sientan juntos para leer y comer también se sientan juntos en clase de informática, así que a Michael K. le tocó formar grupo con aquellos dos bichos raros a los que deseaba perder de vista.

—Hiiic hiiic hiiic —observó el comandante Pelusilla.

—Es verdad, eres un artista con las presentaciones en PowerPoint —convino Bob.

Dos, no, tres bichos raros a los que deseaba perder de vista.

Una eternidad después, el reloj marcó por fin las tres.

Cuando sonó la campana anunciando el fin de las clases, Michael K. ya estaba casi seguro de que solo había imaginado aquel episodio con el mando a distancia y el hámster.

Sus compañeros guardaron los cuadernos en las mochilas y se dispusieron a hacer cola frente a la puerta. Jennifer tiró dos pupitres y se parapetó tras ellos.

La bombilla que iluminaba el terrario de la clase explotó.

—Esas pobres bestias se van a quemar vivas. ¿Nadie les ha enseñado cómo ponerse a cubierto?

—¡Agáchate, Michael K.! —exclamó Bob, tras el pupitre de Jennifer que hacía las veces de parapeto—. ¡Ha sido la señal de un ataque Glxxppfff!

—¡Pero si es la campana que anuncia el final de las clases! —exclamó Michael K.—. Aquí no hay Glxxppfffs que valgan.

Pero ¿qué estaba diciendo? Pues claro que no había ningún Glxxppfff. ¡Ni en el cole ni en ninguna parte! ¿También él se había vuelto loco? Tenía que quitarse de encima a aquel par de lunáticos como fuera.

—No olvidéis la redacción que os he puesto de deberes para mañana: «¿Quién es mi vecino?». Si tenéis algo que consultar, encontraréis más información en nuestra web: www.mrshalleyscomets.com —dijo la señorita Halley.

Michael K. corrió hasta el principio de la fila. Y a empujones salió de la clase, bajó los altísimos peldaños y, cuando ya casi salía por la puerta del cole... oyó la voz.

Esa voz que se oye en todos los colegios del mundo. La voz de ese niño que siempre está metiéndose con todos. Ese niño que a veces es un grandullón. A veces, un esmirriado. A veces, normal. Y a veces, más feo que Picio.

Pero la voz siempre es la misma. Oírla siempre es mala señal. Y cuando es a ti a quien se dirige, malísima.

—Ja, ja —dijo la voz—. ¡M@RCI@N@, más que M@RCI@N@!

Michael K. siguió su camino.

—¡Eres un M@RCI@N@! ¡El nuevo es un M@RCI@N@! ¡M@RCI@N@! ¡M@RCI@N@!

Michael K. se detuvo, se volvió y... genial: la voz procedía del grandullón de la clase, Joey. Más feo que Picio él.

Viendo que era inútil recurrir a la fuerza, Michael K. probó con su única arma: la cordialidad.

—Sí, tienes razón —le dijo—. Me siento como un marciano. Cole nuevo, barrio nuevo, todo nuevo...

El grandullón miró de arriba abajo a Michael K.

—No, idiota. Si lo digo porque llevas escrita la palabra M@RCI@N@ en el lomo del libro.

A Michael K. no le hizo falta verificarlo. Sabía que probablemente era cierto. Y se hacía una idea de quién podía haberlo escrito.

El grandullón tiró al suelo de un golpe el libro de Sociales que Michael K. llevaba bajo el brazo, y se puso a graznar de nuevo:

—¡M@RCI@N@! ¡M@RCI@N@! ¡El nuevo es un M@RCI@N@!

Lo que le faltaba para rematar el día.

Primero le endosaban a los bichos raros y luego el matón de la clase la tomaba con él.

—¡M@RCI@N@! ¡M@RCI@N@! ¡El nuevo es un...! ¡Uy!

De pronto todo retumbó. Era un sonido que en realidad no se oía, pero se sentía en el estómago. Como la onda expansiva de una explosión subterránea.

Joey bizqueó, dejó de graznar y empezó a dar tumbos intentando no caerse al suelo. Jennifer recogió del suelo el libro de Sociales y volvió a colocárselo bajo el brazo a Michael K.

—Me he visto obligada a detener las malas vibraciones que despedía el grandullón ese —explicó Jennifer—.

¡FIN DEL ASALTO!

—Ah, ya. Gracias —dijo Michael K. Luego cogió los papeles que se le habían caído del libro y, sin darse cuenta, también una tarjeta que el viento había arrastrado hasta allí desde el otro lado del patio.

Bum, buiii, hiiic

Los elefantes se comunican a través de soni-dos cuya frecuencia es inaudible para el oído humano. A esos sonidos los llamamos «sub-sónicos».

Las ballenas también se comunican a través de ondas sónicas y subsónicas.

Las hormigas se comunican por medio de dife-rentes olores.

Los perros ladran, las ardillas chillan, las palo-mas zurean, y también los «hiiics» de los háms-ters son ondas sonoras.

Capítulo 13

PERRo
π´®®ø

Michael K. se encaminó hacia su casa. Bob y Jennifer lo siguieron.

Michael K. se dio la vuelta y enfiló en dirección contraria. Bob y Jennifer hicieron lo mismo.

—Hala, adiós —dijo Michael K.—. Ahora, vosotros a vuestra casita y yo, a la mía.

«Y en cuanto llegue, les diré a mis padres que tengo que cambiar de colegio. Al que sea», pensó Michael K.

—Bueno, pues ya podemos considerarte uno de los nuestros, Michael K. —dijo Bob—. ¡Fantástico!

—No —replicó Michael K.

—Ahora tenemos que ir a por suministros —dijo Jennifer.

—No —replicó Michael K.

—**¡ATRÉVETE A SER SPECIAL!** —exclamó Bob.

—Y a decir **¡ADIÓS A LA GRASA!** —añadió Jennifer.

Michael K. no supo qué responder.

Ni cómo escapar de Bob y Jennifer. ¿Qué hacía? ¿Se ponía borde con ellos? ¿Les pegaba un grito? ¿O echaba a correr lo más rápido posible?

Bob se agachó para acariciar una boca de riego.

—Qué mona —dijo.

—¿Por qué las niñas terrícolas sacan a pasear a niñas terrícolas de mentira? —preguntó Jennifer, acercándose a una niña que paseaba a una muñeca en su sillita.

Michael K. se giró, dispuesto a salir corriendo, cuando un perrazo negro con una oreja blanca fue hacia ellos.

—Guau —ladró el perro—. Guau, guau —volvió a ladrar, mirando fijamente el bolsillo de la camisa de Bob.

—Wiiic hiiic —dijo el bolsillo de Bob.

—Guau, guau, guau. Grrr, grrr. Arf, arf.

El comandante Pelusilla asomó la cabeza por el bolsillo de Bob.

—Hic hiiic hiiic-wiiic.

—Guau.

—Hiiic.

El perro echó a correr.

Michael K. se quedó boquiabierto.

—¿Qué pasa? —dijo el comandante Pelusilla—. ¿Tampoco hablas el idioma de los perros?

Capítulo 14

SIN ESCAPATORIA

ß^~ ´ßçåπå†ø®^å

—**E**nfermera, ¿dónde están mis zapatos? ¿Me los podría devolver? Los he limpiado esta misma mañana y...

—A su debido tiempo, caballero. Cuando mejore ese coscorrón. Ahora vuelva a la enfermería y túmbese un buen rato.

—Seguramente no debería divulgar esta información, porque es ultrasecreta, pero que sepa, señora, que soy un agente federal. Un agente de la AAA. Se ha detectado una posible VEA en esta zona, y yo no debería estar aquí tumbado en una camilla. La seguridad del mundo está en mis manos en este instante.

—Pobre, veo que sigue usted trastornado. Ya estamos otra vez con lo de esos hombrecillos del espacio. Pero no se preocupe, que la enfermera Dominique sabrá cuándo puede darle el alta.

—Pero...

—No hay peros que valgan, señor Pardo. Tómese estas dos aspirinas y échese un rato.

—Sí, señora.

—Por cierto, ¿qué clase de nombre es ese de Pardo? ¿De dónde viene usted? Mira que hay apellidos raros en el mundo...

—Creo que me tomaré esas dos aspirinas y me echaré un rato.

¡Capítulo 15!

LUZ ROJA, LUZ VERDE

¬¨Ω ®ø∆å, ¬¨Ω √´®∂´

Si buscáis la palabra «shock» en cualquier diccionario de internet, veréis que una de sus posibles definiciones es «conmoción repentina o violenta».

Pero esa palabra no basta para definir el estado de profunda alteración mental que se había apoderado de Michael K. Digamos más bien que se había quedado «estupefacto». O quizá «patidifuso». O «turulato perdido». O «blaaaguaaaguaaaguaaaguaaa».

Michael K. miraba sin pestañear al hámster parlante, intentando comprender. E intentando convencerse aún de que Bob, Jennifer y Pelusilla no eran extraterrestres.

Pero no consiguió hacer ni una cosa ni la otra.

Sus pies se adelantaron a su cerebro y tomaron una decisión: echar a correr.

Michael K. salió corriendo y cruzó la calle.

Bob y Jennifer echaron a correr tras él, pero no parecieron darse cuenta de que la luz del semáforo había cambiado.

Y cruzaron la calle.

Un vehículo frenó con gran chirrido y tocó el claxon.

Jennifer le devolvió el bocinazo, imitándolo a la perfección.

Michael K. se detuvo en seco y miró atrás.

Jennifer y Bob estaban en mitad de la calle. Las mamás que habían ido a recoger a los pequeños y la señora que los ayudaba a cruzar la calle los miraban aterradas. Un gigantesco camión de color rojo avanzaba a toda mecha

NO TIRAR BASURA

en dirección a Bob y a Jennifer. Y ellos en mitad de la calle, sin moverse. Tan panchos.

Michael K. comprendió que no tenían intención de moverse. Antes de que su cerebro pudiera reaccionar, sus veloces pies y su buen corazón le tomaron la delantera. Una vez más.

Michael K. tiró los libros, saltó a la calzada y dio un empujón a Jennifer y a Bob (y al comandante Pelusilla).

El enorme camión rojo pasó a toda mecha, haciendo sonar la bocina con todas sus fuerzas.

Jennifer le devolvió el bocinazo. Bob lo saludó con la mano.

—¡Por los pelos! —exclamó Bob.

Michael K. no daba crédito.

—¡Casi os aplastan! ¿No sabéis lo que es un semáforo o qué?

—¿Semáforo? —dijo Bob.

—¿Ves esa luz de ahí? ¿Y la otra luz de abajo? En este país, cuando se ilumina el hombrecillo verde quiere decir que se puede pasar. Y cuando se ilumina la mano, que no se puede pasar.

—Ya entiendo —dijo Bob—. Ahora ya somos terrícolas en toda regla. Hombrecillo andando, adelante. Mano, stop.

—Lo que sois es extraterrestres de verdad —dijo Michael K.

Un corrillo de escolares, padres y conductores los miraban con atención.

—Venga —dijo Michael K.—, larguémonos de aquí.

—Sí —convino Bob—. Ya sabemos dónde tenemos que ir para hacernos con esos suministros. El perro terrícola nos ha indicado el trayecto: contenedor, contenedor, árbol. Farola, farola, boca de riego.

—¿Quééé? —dijo Michael K.—. En fin, dejémoslo. Vamos.

Michael K. siguió su camino por la acera.

Una grúa estaba izando una oxidada furgoneta blanca que había aparcado ilegalmente delante de una boca de riego.

—¡Stop! —exclamó Bob a voz en grito.

Bob y Jennifer se quedaron paralizados como estatuas.

—¿Qué? ¿Qué pasa? —quiso saber Michael K.

—La manita —advirtió Bob, señalando el semáforo.

—No se puede pasar —aclaró Jennifer.

—Oh, Dios, la que me ha caído... —se dijo Michael K.

¡Capítulo 16! EL SUPERAGENTE
´¬ ß¨π´®å©´~†´

Un señor vestido con un mono azul avanzaba sigilosamente por el pasillo desierto del colegio, en calcetines. Sus pies resbalaban sobre el linóleo verde brillante del suelo.

«El superagente vive en peligro constante,
siempre en busca de la verdad.
Su identidad es un interrogante,
porque tralarí tralará, lalalá, lalalá,
tralarí tralará, el mañana nunca verá.»

—¡Superagente secreto! —siguió canturreando el agente Pardo, sin darse cuenta de que lo hacía en voz alta—.
Te han dado un número y te han dejado sin...

—¿Señor Pardo? —oyó que lo llamaban con voz severa
desde la desierta enfermería.

El agente Pardo no dudó.

Echó a correr.

Echó a correr dando traspiés por el resbaladizo pasillo.

Echó a correr por los duros y rugosos peldaños de la escalera.

Cruzó a la carrera la entrada del cole y el patio, y llegó por fin al espacio vacío ante la boca de riego donde antes había aparcada una furgoneta blanca y oxidada cuyo lateral lucía el rótulo AAA: «CRÍA DE HORMIGAS».

El agente Pardo se preguntó por qué al superagente secreto de aquella canción nunca le pasaban esas cosas.

—¡¿Señor Pardo?! —La voz severa retumbó por el patio del colegio—. Sé quién es. Daré con usted.

—*Te han dado un número* —cantó Pardo, dando saltitos por la acera con los pies descalzos— *y te han dejado sin nombre.*

Capítulo 17

EL PARAÍSO
´¬ πå®å ^ßø

—¡**O**ooooooooooooooooohhhhhh! —exclamó Bob, entusiasmado ante las largas hileras de papel de cocina.

—¡Uaaaaaaaaaaaaaaaauuu! —aulló Jennifer desde la sección de lejías y detergentes, que estaba situada al fondo del pasillo.

Pero eso no era nada comparado con la vergüenza que Michael K. había pasado durante todo el camino hasta el supermercado.

El comandante Pelusilla se había parado a hablar con tres perros más, una ardilla y dos palomas.

Bob se había enamorado de una mochila de Dora Exploradora color violeta, y se había abrazado a otras dos bocas de riego y a tres parquímetros.

Y Jennifer había intentado comerse una flor, el envoltorio de unos M&M de cacahuete, de esos que **SE DERRITEN EN TU BOCA, NO EN TUS MANOS**, y una lata de Red Bull **TE DA ALAS**.

Los tres perros, la ardilla y las palomas los dirigieron a un supermercado del barrio. ¿Se habían vuelto locos todos?

Si era cierto que los M@RCi@N@5 tenían la misión de apoderarse del planeta, ¿cómo pensaban conseguirlo? ¿Frotando y limpiando?

Porque en ese momento Bob y Jennifer daban brincos por el supermercado llenando el carrito de detergentes y papel de cocina.

¿Y para qué necesitaban a Michael K.?

—*¡FÓRMULA REFORZADA!*

—*¡NADIE TE DA TANTO POR TAN POCO!*

Plantado en el pasillo de los productos de limpieza, Michael K. cayó en la cuenta del lío en que se había metido. Al salir de casa aquella mañana, su única preocupación había sido adaptarse al nuevo colegio. Ahora lo que le preocupaba era que tres extraterrestres quisieran utilizarlo para apoderarse del planeta. Con la ayuda de papel de cocina y detergentes.

—¡Qué hallazgo! —exclamó Bob a voces en dirección a Michael K.—. ¡Papel Sedosín! También nos irá bien. ¡Es superabsorbente! Además, hace muy felices a los ositos.

Michael K. le arrebató el paquete.

—¿Qué? Pero ¿qué haces? ¡Si esto es papel higiénico!

—Hace felices a los ositos —insistió Bob—. Lo utilizaremos para hacer felices a los terrícolas y que se unan a los M@RCI@N@5.

Michael K. se quedó con el paquete de Sedosín Ultrafuerte entre las manos, mirando el dibujo del osito agarrado a una tira de papel higiénico. Parecía muy contento, la verdad.

—Esto no tiene nada que ver con osos —le explicó—. Es papel higiénico, que lo sepas.

—Ya, pero lo necesitamos para nuestra misión porque es ¡ultrarresistente! —intervino Jennifer.

Michael K. estaba discurriendo cómo explicarles para qué servía el papel higiénico cuando la niña de pelo negro azabache, aquella compañera de la clase de la señorita Halley, apareció por el fondo del pasillo.

—¡Anda! Pero si sois los nuevos de la clase, ¿no? Me llamo Venus. Venus Chang.

—Y yo T. J. —se presentó su compañero, el que dibujaba cómics.

—Y estos dos monstruitos son nuestros hermanos, Hugo y Willy. Van a la misma guardería. Tenemos que recogerlos todos los días y llevarlos a casa.

Hugo y Willy se pusieron a andar a cuatro patas por el pasillo haciendo ruiditos de monstruos.

—¿Monstruos? —exclamó Jennifer, arrojando inmediatamente al suelo su paquete de **_MÁS BLANCURA PARA SU ROPA_**—. ¡Debemos eliminarlos antes de que lo destruyan todo!

—Ha sucedido en otras ocasiones —explicó Bob.

Michael K. agarró a Jennifer por el brazo.

—No pasa nada. Ya se encargarán Venus y T. J. de dominar a esos monstruos. No los eliminéis, por favor.

—Hiiic hi wiii —apuntó Pelusilla.

—¡Pero si tenéis un hámster igualito que el de clase! —observó Venus.

Michael K. intentó esconder el papel higiénico, sujetar a Jennifer y sonreír, todo a la vez.

—¡Es verdad! —exclamó, con gran sagacidad.

—¿Y tú? —le preguntó Venus Chang.

—¿Yo qué? —preguntó Michael K.

—¿Yoqué? Qué nombre tan raro...

—Ah, ya. No, yo me llamo Michael K.

Venus miró de arriba abajo al extraño cuarteto... con su carrito cargado hasta los topes de papel higiénico, detergente y papel de cocina.

—Qué curiosos sois, chicos. ¿De dónde venís?

Bob ya estaba diciendo: «Somos M@R...» cuando Michael K. lo interrumpió bruscamente:

—No, si no somos del mismo país. Qué va, qué va. De hecho, ni siquiera somos amigos. Yo estaba echándoles una mano para comprar... hum... suministros. Porque, claro, no tienen mucha idea de cómo funcionan las cosas en este país, ya sabes.

—¿Es que en Bulgaria no hay tiendas?

—Eso parece —respondió Michael K.

—Necesitar más M@RCI@N@5 —intervino Jennifer.

El pequeño Hugo se quedó mirando a Jennifer.

—Hablas raro —le dijo.

El carrito metálico del supermercado echó a rodar solo y se pegó a la pierna de Jennifer... como si esta fuera un imán.

—¿Qué son los M@RCI@N@5? —preguntó Willy—. Yo uso papel higiénico. Cuando me siento en el orinal...

Por suerte para Michael K., en ese momento sonó el móvil de Venus. Era el tema de Hannah Montana «Best of

Both Worlds». Venus leyó el sms en la pantallita de su móvil recubierto de pedrería rosa.

—¡Ooohhh! —exclamó Bob impresionado.

—Uy —dijo Venus—. Tenemos que irnos. Venga, andando, monstruitos.

Venus y T. J. agarraron a sus hermanitos, que en ese instante estaban entretenidos maullando como felinos ante los tigres de las cajas de cereales Frosties.

—Os veo mañana —dijo Venus, haciendo un gesto de despedida con la mano.

Venus, T. J., Willy y Hugo desaparecieron tras el gigantesco despliegue promocional de **_MÁS BLANCURA PARA SU ROPA_**.

—Os veo mañana —repitió Bob, imitándola.

—¡Uala! —exclamó admirado el comandante Pelusilla—. ¡Es capaz de vernos en el futuro!

Capítulo 18

RING, RING
®^~©, ®^~©

—**E**n el fondo del mar.

—Matarile-rile-rile.

—Hemos detectado nuevas ondas de energía alienígena, esta vez en el sector B-5. Repito: sector B-5.

El agente Pardo consultó el Decodificador de Coordenadas portátil de la AAA.

—Déjelo en mis manos, jefe —contestó Pardo.

—¿Consiguió establecer contacto en D-7 esta mañana, Pardo? Perdimos la señal.

—Contacto directo, jefe.

—¿Usó la cabeza en esta ocasión, Pardo?

—No lo sabe usted bien, jefe.

—Bueno, verifique esa nueva vibración en el sector B-5. No quiero que esto llegue a oídos de Washington.

El agente trasteó con su decodificador y su mapa hasta localizar las coordenadas B-5.

—¡Atiza! —exclamó Pardo—, si aún tengo la furgoneta en el depósito. Vaya día de perros.

—¿Cómo dice, Pardo?

—¿Eh? Ah, que acabo de ver un perro.

Y justo en ese momento, un chucho negro con una oreja blanca fue hacia él, alzó una pata y echó un chorrito sobre su calcetín izquierdo.

—¡Maldición! —protestó Pardo a voz en grito.

El perro lo miró de forma extraña... y se fue por su camino.

—¿Qué está ocurriendo ahí, agente?

—Nada, jefe. Todo está bajo control. Pero creo que voy a necesitar unos zapatos nuevos.

—Pues ya sabe: formulario SH-748/002.RE. Se lo tiene que descargar de www.antialienagency.com. Y rellenarlo por triplicado. Todo tiene que pasar por E5, ya lo sabe.

Pardo lo sabía. Pero E5 era donde a nuestro agente le habían asignado su Telepepinillo®, su Radio-Estufa® y su Orinal-Maceta®.

Y él intentaba por todos los medios evitar el dichoso E5.

—Ah, Pardo...

—¿Sí, jefe?

—¿Qué pasa con sus zapatos?

Pardo no contestó. Acercó el mapa al auricular del teléfono y lo arrugó.

—Le pierdo... No oig... No hay c... bertura.

Pardo apagó su Telepepinillo® y se fue corriendo hacia el depósito para recuperar su furgoneta.

A sus espaldas iba dejando un rastro de huellas de calcetines empapados de orín.

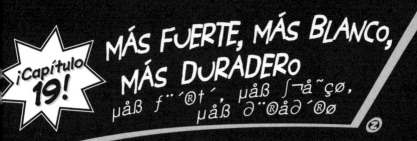

¿**S**abéis lo que es un desmadre? Porque Michael K. pensó que la palabra definía con bastante exactitud lo que estaba ocurriendo en ese momento en el supermercado.

Bob se había untado pasta de dientes Blanquín Ultrablanqueador en los brazos y la frente.

Jennifer picoteaba perlas desodorizantes de esas que se usan como arena para gatos.

El comandante Pelusilla oteaba el horizonte con dos Cheerios en los ojos.

Y los tres se habían envuelto un brazo (o una pata en el caso del hámster) con papel higiénico.

El carrito de la compra iba cargado hasta los topes de detergente Supernet, papel higiénico Sedosín, desodorante Freeaxil, papel de cocina Absorbex y espuma de afeitar Rasurette.

—Artículos de primerísima calidad —observó Jennifer.

—Ahora somos más fuertes, más blancos y más resistentes —añadió Bob.

—Pero ¿por qué me habéis escogido a mí? —dijo Michael K.

—Está claro: porque *EL MUNDO ES TUYO* —contestó Jennifer.

Y entonces fue cuando a Michael K. le entró el pánico, porque Jennifer le estaba mostrando un paquete de aquellos cereales en el que aparecía la foto de Michael K. y que según su padre nadie llegaría a ver jamás. Una foto y un eslogan vergonzosos que podían amargarle la vida para siempre:

Michael K. empezó a hacer aspas con los brazos frenéticamente. Como solía hacer siempre que se alteraba.

Michael K. estaba muy alterado. Y también molesto, dolido, asustado y rabioso.

—Muy bonito —dijo, arrebatándoles el paquete de Supercrunchies—. ¿Se puede saber cómo os habéis enterado de eso?

Un chantaje. Tenía que ser eso.

Si no colaboraba, aquel par de bichos raros... o extraterrestres... o lo que fueran... harían pública aquella vergüenza.

No podía permitirlo.

—Muy fácil: vimos tu anuncio. En realidad, todos los **M@RCI@N@S** lo vieron —respondió Bob—. El mundo es tuyo, Michael K. Tú puedes ayudarnos a convertir en **M@RCI@N@S** a tres millones ciento cuarenta mil un terrícolas y de ese modo crear todos juntos la Onda Cerebral universal.

Michael K., desesperado, se llevó las manos a la cabeza.

Luego intentó poner orden en sus pensamientos para ver si conseguía de una vez encontrar sentido a todo aquello.

Y vaya si lo encontró: un sentido tremebundo.

—Un momento, un momento. Esperad un momento... A ver si lo he entendido bien. ¿Desde vuestro planeta visteis el anuncio en el que se me veía comiendo cereales Supercrunchies?

—Sí.

—¿El anuncio en el que decía que el mundo era mío?

—Sí.

—Y por eso ahora creéis que el mundo es mío, ¿no?

—Sí.

—Todo lo que sabemos de vuestro planeta lo hemos aprendido gracias a las emisiones de vuestras ondas —explicó Bob.

—Por eso parecemos terrícolas tan auténticos —añadió Jennifer.

—Ya —dijo Michael K., con una leve sensación de mareo. Y también con la sensación de que aquel asunto podía amargarle el curso—. ¿Y se puede saber para qué hemos comprado todo este papel higiénico?

—¡Porque Sedosín es ultrafuerte!

—¿Y el detergente Supernet?

—Porque *¡MÁS VALE MAÑA QUE FUERZA!*

Jennifer agarró un pack de seis botellas de cerveza y lo echó al carro.

—¡DONDE VA, TRIUNFA!

—¡No, no, no! —exclamó Michael K. Luego sacó las cervezas del carro y, de paso, la crema de afeitar—. Solo tenemos diez años. A los niños nos está prohibido comprar cerveza.

—Michael K. tiene razón —convino Bob—. La cerveza es solo para terrícolas grandullones. «Cosacos», me parece que los llaman.

Michael K. miró estupefacto a Bob.

Comprendió entonces que los M@RCI@N@5 se creían todo lo que salía en la tele y los anuncios. Y que él estaba metido en un lío bien gordo.

No le quedaba más remedio que atajar radicalmente el asunto.

—Está bien —dijo—. Yo me ocuparé de todo.

—¡¡¡El mundo es tuyo!!! —exclamó entonces Bob a voz en grito.

—Pero haz el favor de no volver a decir eso, Bob.

Jennifer estaba dando lametones a la barra de un desodorante.

—Mmm. Sabe fresco. *NO TE ABANDONA*.

—¿Hiiic hiii, hiii hiic? —preguntó de pronto el comandante Pelusilla.

—Seguro que sí —respondió Bob—. Porque si Michael K. no nos ayuda, la Tierra se extinguirá, de eso no hay duda.

Michael K. reculó pasito a pasito. Había concebido un nuevo plan: escapar. Abriría el teléfono móvil. Conectaría el 091. ¡Y pediría auxilio!

Así que se dio la vuelta, echó a correr... y se estampó contra una corpulenta señorona vestida de blanco de la cabeza a los pies.

La enfermera Dominique —porque era ella, quién si no— vio a Michael K., el pack de cervezas y los rollos de papel higiénico volando por todas partes y exclamó:

—¡Pero ¿qué demonios...?!

Interferencia/Amplificación

Las ondas que no están sincronizadas interfieren las unas con las otras y forman una onda de menor tamaño.

Interferencia destructiva

Las ondas que están sincronizadas se amplifican mutuamente y forman una onda de mayor tamaño.

Interferencia constructiva

Un carrito de la compra.

Artículos:

1. Sedosín Ultrafuerte

2. Detergente Supernet, porque ***MÁS VALE MAÑA QUE FUERZA.***

3. Desodorante Freeaxil

4. Y un paquete de cereales de marca desconocida. Súper-no-sé-qué...

Artículos, a simple vista, de lo más comunes.

Pero que, observados por los ojos de lince de un agente de la AAA, provisto de prismáticos, encamarado a un árbol y atisbando entre sus ramas, podían revelar algo completamente distinto.

Un complot.

Un complot para invadir la Tierra y acabar con la libertad, la igualdad y la fraternidad que en ella imperan.

¿Qué pintaban allí aquellos críos? Cada vez que recibía el aviso de que se había detectado una VEA, se topaba con ellos en el lugar de los hechos.

¡Ajá! ¡Claro, eso era!

¡Seguro que ellos también estaban tras la pista de los extraterrestres!

Pardo había oído hablar de aquellos cazadores de alienígenas. Gente que solo perseguía la fama. Pero podían ser un estorbo. Si echaban el guante a los extraterrestres, se llevarían toda la gloria. Y la AAA degradaría a Pardo hasta el nivel más bajo del escalafón. Una vez más.

Encaramado al árbol, Pardo cambió de postura.

No oyó el ligero crujido.

El niño de la mochila tenía en la mano aquellos cereales de marca desconocida y se paseaba arriba y abajo haciendo aspas con los brazos. Parecía muy alterado. Debía de ser el cabecilla.

La niña del vestido raro y el niño de la camisa rosa estaban de pie, escuchando. Atendiendo órdenes. No parecían peligrosos.

Pero ¿dónde estaban los extraterrestres?

¿Y qué pretenderían hacer aquellos niños con el papel higiénico, los cereales para el desayuno, el detergente y el desodorante?

El agente Pardo bajó los prismáticos y se devanó sus detectivescos sesos para averiguar qué andarían tramando.

Pero no se le ocurrió nada interesante.

Así que volvió a mirar por los prismáticos. Lo vio todo blanco. Cuando consiguió enfocar bien, vio un vestido blanco, una cofia blanca, unos zapatos blancos...

¡Era ella!

Pardo dio un respingo sobresaltado. Sin reparar en que estaba encaramado a un árbol.

La rama que momentos antes había crujido levemente no llegó a romperse.

Pero con el respingo, el agente Pardo, efectivamente, cayó al vacío.

Y, como no era un personaje de dibujos animados, no le dio tiempo de mirar primero alrededor y luego abajo. Ni de poner cara de horror o mostrar un cartelito.

Simplemente, cayó tres metros en picado y aterrizó de espaldas sobre el techo de una conocida furgoneta blanca, recién salida del depósito municipal de Nueva York.

El nuevo letrero de la furgoneta anunciaba:

AAA
PODA DE ÁRBOLES

El trompazo que abolló el techo de aquella furgoneta apenas llamó la atención entre el bullicio de la Quinta Avenida.

Pero sí consiguió dejar inconsciente a cierto agente federal por segunda vez en el mismo día.

SÍ, SEÑORA
ß^, ß´~ø®å

Michael K. intentó prevenir a la enfermera Dominique sobre los **M@RCI@N@5** y su plan de apoderarse de la Tierra.

De verdad que lo intentó.

—No sé qué andaréis tramando con este circo que habéis montado en el supermercado, pero ya que soy vuestra enfermera, os echaré una mano. Así que, venga, a recoger este estropicio lo primero.

—Pero... —dijo Michael K.

—No hay peros que valgan, jovencito.

Bob y Jennifer siguieron a rajatabla las órdenes de la enfermera Dominique.

Michael K. recogió una caja de Supercrunchies y le susurró al oído:

—Creo que estos dos son...

—Y yo creo que estás agotando mi paciencia. Sois los nuevos de la clase de la señorita Halley, ¿verdad?

—Sí, señora.

—Pues a recoger se ha dicho. Ya está bien de hacer el payaso. Y luego os llevaré a casa antes de que os metáis en líos peores, ¿entendido?

Michael K. iba a replicarle: «Pero si estos dos y el hámster son de otro planeta, están locos, van a acabar con mi vida... y puede que con la de todo el planeta. ¡Socorro!».

Pero Michael K. cruzó una mirada con la enfermera Dominique y terminó diciendo una sola palabra:

—Entendido.

En el pasillo del súper, un mozo de reparto vestido con un mono azul que llevaba el logotipo «AAA. Servicio de reparto» se frotaba un chichón en la cabeza con una mano y en la otra sostenía un paquete de copos de avena Cerealux.

¿Qué significaba aquello?

Atengámonos a los datos. Simplemente a los datos.

El paquete de copos de avena Cerealux se había convertido en un paquete de copos de avena M@RCi@N@5.

Y lo que antes era un paquete con ocho rollos de papel higiénico Sedosín Ultrafuerte, de pronto se había convertido en ocho rollos de M@RCi@N@5 Ultrafuerte.

A saber qué sería eso.

¿Consecuencia de la V E A, quizá?

¿Qué clase de extraterrestres eran aquellos? ¿Qué clase de invasión era aquella?

El agente Pardo arrancó el maltrecho adhesivo con la etiqueta **M@RCi@N@5** de la caja de Cerealux y se estrujó su detectivesca sesera para descifrar el enigma.

—Vaya, aquí tenemos al gracioso que está pegando esas etiquetas en mis productos —dijo de pronto un tipo regordete vestido con el uniforme del súper que avanzaba a toda prisa por el pasillo.

—¿Quién? ¿Cómo? ¿Yo? —contestó Pardo, con la caja de Cerealux en una mano y el adhesivo **M@RCi@N@5** en la otra.

—No, va a ser el que tiene detrás. ¡No te joroba! Con usted hablo, ¡con quién si no! ¿Qué es esto? ¿Una nueva campaña publicitaria? ¿Qué demonios significan estas etiquetas?

—Yo... hum... —farfulló Pardo.

—¿Sabe qué le digo? Que me trae sin cuidado. ¡Ya puede arrancar ahora mismo esas etiquetas de mis cereales, de mi papel higiénico, de mi cerveza y de todos los artículos de mi tienda donde las haya pegado!

—No, está usted equivoca...

—El equivocado será usted, señor AAA, por meterse en mi tienda y M@RCI@LIZ@RMEL@ con sus etiquetas de pega.

El agente Pardo sacó muy ufano su chapa de agente especial y se la mostró.

—Soy...

—No necesito ayuda de Alcohólicos Anónimos, gracias. ¡Y como me obligue a llamar a su jefe, le va a caer una gorda!

Pardo reflexionó un momento. Aquel rechoncho hombrecillo estaba muy equivocado. Pero a la vez tenía toda la razón del mundo: más valía que el incidente no llegara a oídos de su jefe.

—Qué, ¿me va a limpiar el pasillo o hago esa llamada?

—Enseguida, caballero.

El agente Pardo arrancó la etiqueta M@RCI@N@5 de una caja de arroz inflado y azucarado.

Y de una caja de bolitas de maíz con miel M@RCI@N@ .

Y de un M@RCI@N@ **DESAYUNO DE CAMPEONES**.

Y de todo lo M@RCI@N@ ultrafuerte, M@RCI@N@ extrasuave, M@RCI@N@ multivitaminado, M@RCI@N@ reforzado, M@RCI@N@ light, M@RCI@N@ cien por cien natural, M@RCI@N@ biológico, M@RCI@N@ ecológico, M@RCI@N@ nuevo y mejorado.

Todo lo M@RCI@N@ sano, eficaz, original, resistente, más dulce, testado, más fresco, bajo en sodio, más potente, revolucionario, reciclado y equilibrado perdió el reclamo M@RCI@N@ y fue devuelto a su aspecto original.

Pardo se preguntó qué significaría la etiqueta M@RCI@N@ .

Y luego se dispuso a limpiar el pasillo número cuatro.

¡Capítulo 23!
¿QUÉ HAS HECHO HOY EN EL COLE, CARIÑO?

L a pregunta pendía sobre Michael K. como una espada con la punta hacia abajo.

Pero aquella era la clásica pregunta que en realidad no tiene respuesta.

Es como si te preguntaran: «¿Cómo suena el aplauso que se hace con una sola mano?» o «¿A qué huele el color verde?».

Son cosas muy difíciles de contestar.

—Pues... no sé —contestó Michael K., en un alarde de brillantez tan clásico como la propia pregunta.[*]

Michael K. se llevó a la boca un tenedor cargado de pollo y puré de patatas, para dar largas.

¿Que qué había hecho en el cole? ¡Qué no había hecho en el cole!

---

[*] La otra respuesta clásica sería: «Nada».

Puede que hubiera conocido a tres invasores extraterrestres que habían aprendido todo lo que sabían de la televisión (y encima se lo creían). Puede que hubiera hablado con un hámster. Y puede que hubiera descubierto que, si no ayudaba a reclutar a 3.140.001 terrícolas para que se convirtieran en M@RCI@N@5, la Tierra se extinguiría, y a saber lo que eso significaba.

Michael K. aún no se había tragado el bocado cuando siguieron más preguntas:

—¿Qué te ha parecido la maestra?

—¿Qué tal con tus nuevos compañeros?

—¿Has hecho amigos?

—¿Te han puesto deberes?

La hermanita de Michael K. aporreó la bandeja de la trona con su mini cucharita.

—¿Aaa aaa, ajó, ajó, ga ga?

Michael K. sonrió. La pregunta de su hermanita era la más fácil de responder.

—Sí. Y también hemos ajó ajó, bla bla.

Su hermanita se echó a reír.

Papá K. y mamá K. miraban a su hijo, esperando una respuesta.

Michael K. tragó saliva. No podía reaccionar como un bebé. Ya estaba en quinto de primaria. Tendría que enfrentarse a la situación como un adulto.

O, al menos, como un niño de quinto.

—Pues sí, sí he conocido a gente nueva —contestó al fin Michael K.—. Pero de lo más rarita. Da la impresión de que sean de otro planeta.

Papá K. se sirvió más puré. Mamá K. asintió.

—Los niños extranjeros a veces nos parecen distintos. A mí me pasa lo mismo con algunos de mis nuevos compañeros de despacho.

—No —dijo Michael K.—. Estos no son distintos como tus compañeros de despacho. Son distintos porque de verdad son de otro planeta. Además, me vieron en el anuncio de los Supercrunchies y ahora quieren que les ayude a reunir a tres millones de M@RCI@N@S.

—Una de nuestras mejores campañas publicitarias —observó Papá K.—. Seguro que en el extranjero aún siguen emitiendo el anuncio. Fantástico.

—No —replicó Michael K.—, de fantástico, nada. Porque como me vieron con aquella ridícula ropa ahora están convencidos de que yo... bueno, de que si no reclutamos... o sea, ¡que podría ser el fin del mundo!

Mamá K. limpió un churrete de salsa pegado a la barbilla de la pequeña.

—No es fácil hacer amigos cuando llegas a un sitio nuevo. Es normal que te parezca el fin del mundo.

—¿Qué tal la maestra? —preguntó Papá K. de nuevo.

A Michael K. le iba a estallar la cabeza.

¿Qué pasa, es que hablaba en hamsteriano o qué? ¿Por qué nadie le creía? ¿Por qué no le escuchaban siquiera?

Michael K. dio un puñetazo sobre su libro de Sociales y dijo:

—Son extraterrestres. Van a amargarme la vida.

Los tres enmudecieron de pronto.

—Bueno, ya vale —dijo Mamá K.—. Comprendo que lo hayas pasado mal por ser tu primer día, pero no hay necesidad de aporrear la mesa.

—¿Por qué no subes un rato a tu cuarto y lo piensas? —dijo Papá K. —Anda, sube y ponte a hacer los deberes.

—Vale —contestó su hijo.

Michael K. recogió sus libros y subió malhumorado a su habitación, dando pisotones por la escalera. El día que acudieran a él suplicándole que salvara el mundo, los mandaría a su cuarto a pensar.

—Aaah —dijo la pequeña—. Ah gaaaga.

Y no os imagináis cuánta razón llevaba.

Álamos temblones

El organismo más grande
del planeta Tierra no es el

Ni tam-
poco la

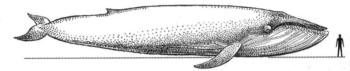

Es esta arboleda de álamos temblo-
nes que hay en Utah.

Vistos desde la superficie, parecen
árboles independientes

Pero bajo el suelo, están todos co-
nectados por un único entrama-
do de raíces.

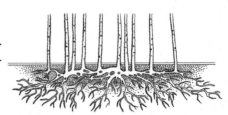

Una tostadora rota, un batidor de varillas oxidado, un magnetófono forrado con madera de imitación, una estatuilla de san Jorge matando al dragón, una cinta de vídeo de *La sirenita*, tres polvorientas botellas vacías de una antigua lechería, una caja de zapatos con botones de todo tipo, un salero y pimentero de plástico con forma de pingüinos, doce ejemplares de la revista *National Geographic* que iban de abril de 1989 a marzo de 1990, un muñequito del Increíble Hulk, una fotografía enmarcada del equipo de béisbol de los New York Mets (2002), cuatro coches Matchbox de metal, un pony Princesa Centella de plástico rosa y crines moradas, una espátula medio oxidada con

mango largo de madera, un mono-payaso de cuerda con dos platillos en las manos y la cabeza medio calva, una botella de Coca-Cola de vidrio verde, un escacharrado reloj de bolsillo con montura de plata y una caja de zapatos llena de tarjetas postales de todas partes del mundo.

Esos eran algunos de los tesoros a la venta expuestos sobre la mesa que el señor y la señora Rodríguez habían colocado frente al edificio de ladrillo rojo donde vivían.

A la derecha del bloque de los Rodríguez había un bar con el nombre del establecimiento escrito en un letrero de neón: JACKIE'S 5TH AMENDMENT.

A la izquierda del bloque de los Rodríguez había una puerta con el letrero «M@RCI@N@5».

Dos niños se apearon de un Ford Crown Victoria de color negro.

—¿Entendido? —preguntó la mujer que iba al volante.

—Sí, señora —contestó Bob.

—Sí, señora —repitió Jennifer.

—Hiiic wiiic —añadió Pelusilla.

—Muy bien. Así me gusta —dijo la enfermera Domini-que—. Ya está bien de hacer el payaso. Nos vemos mañana por la mañana en el colegio. —Y se alejó al volante de su Ford.

Entonces fue cuando Bob y Jennifer repararon en la mesa del señor Rodríguez con todos sus tesoros en venta.

—¡Ooooooh!

Bob se quedó prendado de aquella especie de pony chiquitito y regordete de plástico rosa con largas crines.

—¡Es increíble!

Jennifer se enamoró de un grasiento artilugio con forma de concha.

—¿Un repetidor de ondas Inter-Z? ¿Desde cuándo los terrícolas disponen de esta tecnología? —preguntó Jennifer al señor Rodríguez.

—Cinco dólares por los dos —dijo el señor Rodríguez desde su tumbona.

—Ustedes son los vecinos nuevos, ¿verdad? —preguntó la señora Rodríguez.

—Sí —respondió Bob—. ¡Traemos Sedosín Ultrafuerte y Supercrunchies! Nos los ha comprado la enfermera Dominique.

—Un artilugio rudimentario, pero en perfecto estado —observó Jennifer—. Bien, vamos a necesitarlo, y también —añadió cogiendo un batidor de varillas —ese receptor direccional que tienen ahí. Y esto —dijo, cogiendo los coches Matchbox.

—Ustedes no son de aquí, ¿verdad, niños? —preguntó la señora Rodríguez.

—Oferta especial, *panas*: cinco dólares, por ser vecinos, y se llevan lo que quieran —ofreció su marido.

Bob recordó que en el supermercado la enfermera Dominique había entregado unos papelitos verdes a cambio del papel higiénico y los Supercrunchies.

Dejó en el suelo los rollos de papel higiénico, los Supercrunchies y el pony Princesa Centella.

Pelusilla asomó la cabeza y se fijó en el mono.

—Hiiic hiiic. Wiii wiii.

—¡Es verdad! —exclamó Jennifer entusiasmada.

El mono medio calvo hizo sonar los platillos. El minutero del reloj escacharrado giró dislocado en su esfera y el señor Rodríguez dio un respingo asustado.

—¡Ay, *mamita!* —exclamó.

Bob arrancó cinco hojas de su libreta, dibujó en ellas unas caras, anotó unos números y se los tendió al señor Rodríguez diciendo:

—Que tenga un buen día.

Bob, Jennifer y Pelusilla arramblaron con sus tesoros y se dirigieron hacia su puerta M@RCI@N@5.

El mono y el reloj se pararon.

—Esos niños no son de por aquí, está claro —dijo la señora Rodríguez.

—Clarísimo —convino su marido.

El señor Rodríguez inspeccionó el interior del mono solo para confirmar lo que ya sabía.

Efectivamente. No llevaba pilas. Dentro no había nada.

Luego tapó el espacio recién desocupado en la mesa desplazando los pingüinos un poquito a la izquierda y la botella de Coca-Cola un poquito a la derecha.

—Vaya, nunca había visto a nadie tan entusiasmado con una parrilla eléctrica.

Michael K. subió malhumorado la escalera, entró malhumorado en su habitación, arrojó los libros sobre la cama y se dejó caer ante su escritorio.

¡Que pensara un rato! ¿Qué infantilada de castigo era ese? Cuando la Tierra se extinguiera porque el único ser capaz de salvarla estuviera pensando, ya se arrepentirían.

Pero ¿qué podía hacer? ¿A quién podía recurrir?

¿Qué le había dicho Bob durante el recreo? ¿Qué disparate había dicho?

«No podemos caer en manos de la AAA», eso era lo que había dicho.

A lo mejor la AAA podía ayudarle a deshacerse de los M@RCI@N@S.

Michael K. encendió el ordenador.

Buscó «AAA» en Google, y salieron montones de páginas sobre automóviles, astronomía y arquitectura. Nada útil.

Luego probó con la Wikipedia. Más tonterías. Nada sobre alienígenas.

En vista del éxito, se puso a navegar un rato, vio un par de vídeos de skateboard en YouTube y entró en su tienda internáutica favorita de monopatines. Echó un vistazo a las zapatillas de Vans, Adidas y Nike. A los monopatines de Element, Mystery y Flip. Y entró en su tienda internáutica favorita para todo: Alien Workshop.

Cuando vio el monopatín Dyrdek Soldier X Band, decorado con la gigantesca cara de aquel alienígena, se le pusieron los pelos de punta.

«Mejor me pongo con el rollo de los deberes», se dijo.

Entró en www.mrshalleycomets.com.

Qué bobada de página.

Pulsó «Homework assignments», la pestaña de los deberes.

- Hacer la redacción: «¿Quién es mi vecino?».
- Leer el capítulo 1 de *La casa de la pradera*.
- Leer «Las regiones de nuestro país» (lección 2, páginas 9-12) del libro de texto de Sociales. Contestar después las preguntas 3, 4 y 7 que se encuentran al final del capítulo.

—Genial —dijo Michael K.

Agarró el libro de Sociales que había dejado tirado sobre la cama y, al abrirlo, encontró la respuesta delante de sus narices. Ya sabía cómo resolver su problema con los M@RCI@N@S:

Michael K. estuvo navegando un rato por el sitio www.antialienagency.com. Había lemas, águilas, estrellas y flechas por todas partes. Y se hablaba mucho de proteger el mundo. Era una página seria. Pero al parecer no se podía entrar en la sección de espías ultrasecretos sin contraseña.

Localizó la pestaña que servía para comunicar avistamientos alienígenas, «Report an Alien Sighting», y la pulsó.

Daban un número de teléfono.

¡Por fin! Ahora o nunca.

Marcó el número.

Un tono. Dos tonos. Tres tonos.

—Bienvenido. Ha llamado a la línea directa de la AAA. Si desea comunicar una abducción alienígena, pulse o diga «Uno». Si desea informar de un posible contacto alienígena, pulse o diga «Dos». Si desea informarnos de que ha visto fantasmas, por favor, no pierda el tiempo. Los fantasmas no existen. Pulse «Cero» para repetir las distintas opciones.

Michael K. pulsó el dos.

—Gracias. Ha llamado al Centro de Contactos Alienígenas. Le rogamos que acerque el teléfono a su extraterrestre y a continuación pulse la tecla asterisco para que un agente pueda localizarle.

Michael K. oyó que llamaban a la puerta de su casa. Y a su madre abriendo y hablando con alguien.

—¡Grrr! —gruñó contrariado—. No tengo en casa a esos extraterrestres. ¡Yo solo quiero dar parte y deshacerme de ellos!

—Disculpe, no hemos entendido su respuesta. Le rogamos que acerque el teléfono al extraterrestre en cuestión, y acto seguido pulse «asterisco» para que un agente pueda localizarle.

—¡Grrr!

—Disculpe, no hemos entendido su...

Michael K. colgó bruscamente.

—¿Cómo quieren que les acerque el teléfono?

Se oyeron pasos en la escalera. Alguien llamaba a la puerta de su habitación. Mamá K. la abrió y asomó la cabeza.

—Michael, cariño. Tienes aquí a unos amiguitos que vienen a verte.

—¿Qué amiguitos? —dijo Michael K.

—Bob y Jennifer —explicó Mamá K.—. Dicen que estáis juntos en un proyecto. Parecen buenos chicos. Han traído un hámster.

Cambio de planes. Michael K. concibió de pronto una nueva estrategia. ¿Cómo denunciar a los alienígenas y lograr que su vida escolar volviera a la normalidad?

—Ah, vale —dijo a su madre.

Se lo habían puesto en bandeja.

OJO AVIZOR
ø∆ø å√^Ωø®

La señorita Halley estaba sentada en la butaca roja y dorada de su sala de estar. Sobre su falda había un libro abierto: *El perro labradoodle: su mejor amigo.*

Tenía los ojos cerrados.

Razón por la cual la maestra no vio ni oyó las noticias del Canal 11 que informaban sobre «el aluvión de extraños incidentes eléctricos sucedidos en Brooklyn» aquel día.

Y cuando a las diez repitieron el informativo, tampoco la pilló despierta.

La hermanita de Michael K. estaba plácidamente sentada en su mecedora Fisher-Price de color rosa, viendo cómo el risueño Sol amanecía en el apacible mundo de los Teletubbies.

El bebé sol rió y dijo:

—Gaaaga gaaaga.

La hermanita de Michael K. se echó a reír a carcajadas y contestó:

—Gaaaga.

Capítulo 28

UNA PORCIÓN: CON CHAMPIÑONES Y LÁPICES

·˙~å π∅®ç^∅˜: ç∅˜
ç˙åµπ^˜∅˜´ß ¥ ¬åπ^ç´ß

Mamá K. entreabrió la puerta de la habitación de Michael K., y Bob, Jennifer y Pelusilla entraron en tromba.

Jennifer agarró un lápiz sin estrenar que había en su su escritorio.

Bob puso un pony rosa a galopar sobre su cama.

—¡Wiii hiii hiiic! —exclamó Pelusilla.

—¿Ves? —dijo Michael K. a su madre—. ¿No te dije que eran extraterrestres? ¡No hay más que verlos!

Pero su madre ya había cerrado la puerta y estaba bajando por la escalera.

Bob agarró un tebeo del escritorio de Michael K.

—¡Michael K. es amigo de Spiderman!

Jennifer extrajo un extraño chisme de la mochila de Dora Exploradora de Bob. Lo desenvolvió y sacó un batidor de varillas por la ventana.

Pelusilla se puso a dar saltitos sobre el teclado con forma de oso de Michael K. para escribir con sus patas:

—¡Un momento, un momento! —exclamó Michael K.—. ¿Se puede saber qué estáis haciendo?

—Estamos **LISTOS PARA EL COMBATE** —respondió Jennifer.

Michael K. echó una ojeada a la pantalla de su ordenador.

—Pero ¿qué es esto? ¿Qué habéis hecho?

—Llevar a los M@RCI@N@S al ciberespacio —respondió Bob—. Hemos creado una página web fantástica, www. sphdz.com, para reclutar a millones de terrícolas.

—M@RCI@N@S ... de pago —dijo Jennifer.

—**SUSCRÍBASE A** M@RCI@N@S —añadió Bob.

—Hiii hiiic hiii wiii wiiic —terció el comandante Pelusilla.

—Sí —dijo Bob—. Y Pelusilla está pensando en crear un blog.

Michael K. no daba crédito. Su móvil vibró en el bolsillo. Tenía que entregar a aquellos bichos raros, inmediatamente. Pero antes debía llevarlos a algún sitio donde no pudieran relacionarlos con él ni con su familia.

—Tengo una idea —dijo Michael K.

Bob acarició las crines moradas de su pony rosa.

—¿Qué idea? —preguntó—. ¿Un nuevo plan para ayudar a los M@RCI@N@S ?

—Exacto —dijo Michael K.—. Un nuevo plan. Tenemos que salir a por una pizza. Vamos a la pizzería del barrio.

Allí Michael K. podría hacer su llamada y quitarse de encima el problema de los M@RCI@N@S de una vez por todas.

—Andando —ordenó. Y se los llevó escalera abajo—. Nos vamos a la pizzería a comer algo —avisó Michael K. a sus padres antes de salir.

—¡Estos niños! Os pasáis la vida comiendo —dijo su madre.

—**¡ENERGÍA PARA SUS JÓVENES LEONES!** —exclamó Bob.

Y Michael K. condujo a los M@RCI@N@S a su fin.

Bandadas, bancos y enjambres

Los pájaros vuelan en bandadas.

Los peces forman bancos.

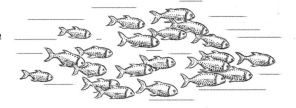

Las abejas forman enjambres.

Manteniéndose unidos pueden confundir y ahuyentar a depredadores de mayor tamaño, e incrementar por tanto sus posibilidades de supervivencia.

Bandadas, bancos y enjambres son, además, un placer para la vista.

Capítulo 29

BZZZ
∫ΩΩΩ

El Telepepinillo® de Pardo vibró de repente y emitió un zumbido.

Era un sms de la jefatura central de la AAA.

DETECTADA POSIBLE SEÑAL alienígena. Coordenadas B-6.333 Entre en acción

El agente Pardo saltó de inmediato a la acción.

Pero olvidó que estaba sentado en la parte trasera de la furgoneta y, ¡PUMBA!, se dio un coscorrón contra su abollado techo de acero.

Esta vez no vio unicornios rosa ni jugadores de lucha libre.

Pero sí estrellas y puntitos negros flotantes.

Pardo tomó asiento de nuevo ante su centralita de control móvil.

Había llegado el momento.

Saltaría a la acción... con precaución.

EL SECRETO ESTÁ EN LA MASA

´¬ ß´ç®´tø ´ßtå ´~ ¬å µåßå

Michael K. se puso orégano, ajo y unas tiras de pimiento rojo en su pizza. Bob se puso orégano, ajo y unas tiras de pimiento rojo en su pizza. Jennifer se puso orégano, pedacitos de lápiz y servilleta de papel en su pizza.

Con el móvil bajo la mesa, Michael K. llamó a la línea directa de la AAA. Le dolía entregar a los **M@RCi@N@S**, pero no podía pasarse el curso intentando solucionar problemas que no eran suyos, ¿no? Además, los había invitado a pizza.

Bob jugueteaba con su pony haciéndolo saltar sobre el dispensador de servilletas.

Pelusilla mordisqueaba la corteza de una pizza.

—¡Hiii hiii hiiiiiii!

—Tienes razón —confirmó Bob—. No es un **MOMENTO REDONDO**, es un momento **M@RCi@N@**. Está riquísima, Michael K. Sabíamos que tendrías un buen plan. Bueno, y ahora, ¿qué?

Michael K. oyó la voz al otro lado del móvil diciendo: «... acerque a su extraterrestre y pulse "Asterisco" para que uno de nuestros agentes pueda localizarlo».

Así que depositó el móvil sobre la mesa y pulsó asterisco.

—Mira —dijo Jennifer—, un transmisor de sonidos antiguo. ¡Sintonizaremos las ondas cerebrales en la frecuencia **M@RCI@N@S**! ¡A por ellos!

—Su AI-2100 ha sido recibido —se oyó decir a través del móvil de Michael K.—. Gracias por utilizar...

Michael K. apagó el teléfono y volvió a metérselo en el bolsillo a toda prisa. Problema resuelto.

—Sí, un equipo de sonido —dijo—. Como queráis llamarlo.

Bob sonrió.

—¡EL SECRETO ESTÁ EN LA MASA!

Capítulo 31

MISIÓN IMPOSIBLE

µ^ß^ø˜ ^µπøß^ʃ¬´

Un camión de reparto de Sedosín pasó zumbando por la autopista Brooklyn-Queens. A siete metros de allí, el agente Pardo hurgaba en el fondo del frigorífico-armario donde guardaba sus disfraces. Ya estaba listo para entrar en acción. Había llegado el momento. El Momento de la Verdad. Y Pardo tenía un plan.

Se ató el pulverizador antialienígenas a la cintura, se frotó el cuerpo con el ahuyentador de alienígenas APF 45 y se subió los calcetines antialienígenas. Toda precaución era poca. Tenía muy presente lo ocurrido con el agente Turquesa en el Proyecto Montauk.

Su Telepepinillo® estaba sonando. Era la sintonía de *Misión imposible*, la llamada de máxima alerta. Sus años de experiencia en la AAA le decían que era preciso atenderla de inmediato, así que agarró su pepinillo.

—Confirmación rotunda —anunció una voz chillona—. Aviso urgente de contacto alienígena. B-6.357. ¡Alerta roja! ¡Todos a sus puestos!

El agente Pardo

se puso inmediatamente su mejor disfraz.

Luego fue a por sus zapatos.

¡Anda la osa!
Los zapatos. ¡No tenía zapatos!
¡Alerta roja!

En el armario no había más que unas zapatillas de Elmo.

Saldría con ellas. No quedaba otra.

Ahora veréis, alienígenas.

Ahora veréis.

ÚLTIMO AVISO
¨¬†^µø å√^ßø

Jennifer terminó su porción de pizza y puso en funcionamiento el teclado en forma de osito-monitor informático-parrilla eléctrica con batidor de varillas a modo de antena.

Bob apuntó a la pantalla con su pony.

—O sea, que reclutaremos a tres millones ciento cuarenta mil un M@RCI@N@S que iremos sumando gracias a este contador que tenemos aquí. Crearemos nuestra red de M@RCI@N@S. Fundaremos la colonia M@RCI@N@. Tendremos cereales M@RCI@N@S. Y nuestro tema musical M@RCI@N@. Y nuestra propia película, camisetas y ropa interior con nuestro logo M@RCI@N@... Todo genial cien por cien, ¿no?

—Hum, algo de eso habrá, sí —dijo Michael K., sentado en el filo del asiento, dispuesto a salir por piernas cuanto antes. Mejor no estar presente cuando la AAA irrumpiera en el local para llevarse a los M@RCI@N@S, no fueran a confundirlo con uno de ellos.

Michael K. se levantó despacio, pensando en un buen pretexto para salir de la pizzería.

—No sabes lo contentos que estamos de que sepas llevar adelante el plan —continuó diciendo Bob—. Porque sin Michael K. nuestra misión M@RCI@N@ habría quedado neutralizada, bzzz.

—Si no nos hubieras enseñado el código de los semáforos... ¡el apagón total ya habría ocurrido! ¡Kaput! ¡K. O. técnico! —dijo Jennifer a voces.

El pizzero bajito del bigote y el pizzero grandullón de los tatuajes volvieron la vista hacia donde los niños estaban sentados.

—¡Chissst! —susurró Michael K.—. Bajad el volumen o descubrirán el pastel.

Bob, Jeniffer y Pelusilla asintieron.

—¿El volumen de qué? —preguntó Bob.

—¿Qué pastel? ¿Dónde está el pastel? —preguntó Jennifer.

—Quiero decir que bajéis la voz porque si no se van a enterar de que somos... bueno, de que sois... M@RCI@N@S. Oye, un momento... ¿Qué has querido decir con eso del apagón total?

—Wiii hiii hiii —respondió Pelusilla.

—Tienes razón —dijo Bob—. Mejor que entres en nuestra página web www.imsuregladthatdidnthappen.com, y así ves lo mucho que nos alegramos de que ese apagón no ocurriera.

Bob sacó de la mochila de Dora Exploradora una ruleta Fisher-Price de juguete con animalitos de granja, colocó la aguja en la vaca y accionó la palanca.

La vaca mugió.

La ruleta escupió entonces un papelito con el código de los semáforos PASAR/NO PASAR en inglés: «WALK/DON'T WALK».

Bob le tendió el papelito a Jennifer.

Jennifer tecleó «www.imsuregladthatdidnthappen.com» en su teclado con forma de osito. A continuación, introdujo la contraseña: «WALK/DON'T WALK».

Michael K. se quedó estupefacto al ver la página y se desplomó otra vez en su asiento. Qué horribles imágenes. Qué espanto.

Michael K. reflexionó sobre lo que había visto por espacio de exactamente tres minutos catorce segundos y decidió dar un giro de ciento ochenta grados.

—¿Así que si yo no... vosotros... y habría ocurrido...? —farfulló.

—Setenta y cinco veces más rápido —contestó Bob—. Y con más violencia y más sangre.

—Ya te imaginarás cuánto nos alegramos de que no sucediera —dijo Jennifer.

—Dios mío —exclamó Michael K.—. No os mováis de aquí. Ahora sí es verdad que debo hacer algo inmediatamente.

Y Michael K. salió corriendo del Pizza Hut.

¡Capítulo 33!

MoZZARELLA AUTÉNTICA

µøΩΩå® ´¬¬å
å¨†´~†^çå

Michael K. se quedó plantado delante de la puerta del Pizza Hut.

El destino del mundo estaba en sus manos.

Comprendió por fin que había cometido un gran error, un error garrafal, un error de dimensiones casi podría decirse que planetarias. Tenía que hacer algo, y cuanto antes.

Michael K. sacó el móvil del bolsillo. A lo mejor había otra posibilidad. Si la AAA acudía...

—¡Alto ahí! —exclamó una voz como de persona que llevara los zapatos bien brillantes.

Un trozo de pizza salió por la trasera de una furgoneta blanca.

Pero la pizza no llevaba zapatos brillantes. Llevaba, curiosamente, unas zapatillas con la cara de Elmo.

—Hum. Yo no he encargado ninguna pizza —replicó Michael K.

—¿Tú me has visto cara de pizza acaso? —dijo la pizza gigante.

—Pues tiene toda la pinta —respondió Michael K.

—Gracias —dijo la pizza—. Es mi mejor disfraz. En realidad soy...

La pizza mostró:

—Soy el agente Pardo. De la AAA. Al parecer has enviado un AI-2100. ¿De qué se trata?

—Pues el caso es que...

—Conozco el caso, muchacho —lo interrumpió Pizza Pardo—. Está resuelto. Llevo todo el día a la caza de VEA. Por donde quiera que voy, me topo contigo. Sé lo que andas tramando. Al agente Pardo no se las dan con queso.

Michael K. volvió a meterse el móvil en el bolsillo. No sabía qué hacer: o entregaba a los extraterrestres o se unía a ellos.

—¿Con qué nos las tenemos que ver?

¿Chupasangres

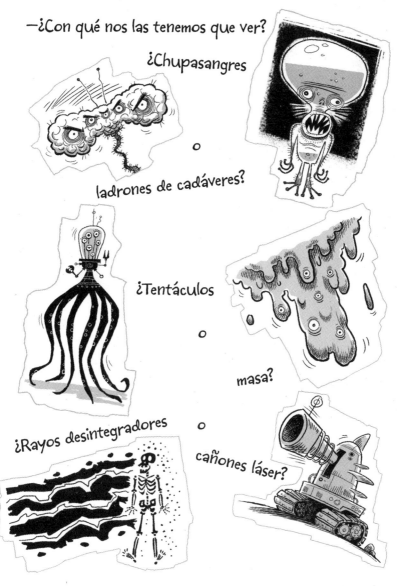

o

ladrones de cadáveres?

¿Tentáculos

o

masa?

¿Rayos desintegradores

o

cañones láser?

—En fin, es igual —dijo Pizza Pardo—. Sabemos que se trata de seres monstruosos. Para eso estoy aquí. Esos seres pretenden destruir nuestro planeta, conque, nada, les echo el guante, h... das pruebas... Visto y no visto, nadie tie... nada.

... —intentó ex... ...ael K. de nuevo.

—Ya, ya sé c... ...l caso —lo int... ...o la pizza— ...stado s... ...ista de esos extraterr... ...ralad... necesitas... ...te decía, pa... ...ichael K. ...nto creando una br...

Michael... ...vo plan y s... ía cómo llevarlo a cabo.

—De aquí en adelante, yo me hag... ...go, muchacho. ¿Te parece?

El curso escola... ...ían de una pregunta... ...pr... ...te parece?

SÍ

...os m... cruciales de la...
...on esceni...
...te o acompañ... sue-
len asaltarte... mo... como una
p... en pani... noche.
...nael K. est... do uno de esos momentos.
...mado una decisión importantísima.
...abrió la boca.

Y dijo:

—Sí.

La piz...

—Sí —prosig... los tiene. —Se-
l interior de la piz...
...tendido —dijo la pizza... el bigo...
...no?

Michael K. hizo un gesto afirmativo.

—Y el grandullón de los tatuajes —añadió.

el guante, hacemos las pruebas pertinentes y desaparecen. Visto y no visto. Nadie tiene por qué enterarse de nada.

—Pues, el caso es que... —intentó explicar Michael K. de nuevo.

—Ya, ya sé cuál es el caso —lo interrumpió la pizza—. Has estado siguiendo la pista de esos extraterrestres. Los tienes acorralados. Y ahora necesitas la ayuda de un profesional. Como te decía, para eso estoy yo aquí, ¿no?

El cerebro de Michael K. se iluminó de pronto creando una brillante red.

Michael K. tenía un nuevo plan y sabía cómo llevarlo a cabo.

—De aquí en adelante, yo me hago cargo, muchacho. ¿Te parece?

El curso escolar de Michael K. e incluso quizá el mundo entero dependían de una pregunta formulada por una pizza.

—¿Te parece?

SÍ
ß ^

Los momentos cruciales de la vida no siempre surgen con una gran escenificación, ni iluminados teatralmente o acompañados de banda sonora. En realidad suelen asaltarte de forma bastante silenciosa, como... como una pizza con pantuflas en mitad de la noche.

Michael K. estaba viviendo uno de esos momentos.

Había tomado una decisión importantísima.

Michael K. abrió la boca.

Y dijo:

—Sí.

La pizza asintió oficialmente.

—Sí —prosiguió Michael K.—. Ahí dentro los tiene. —Señaló al interior de la pizzería.

—Entendido —dijo la pizza—. El pequeñito del bigote, ¿no?

Michael K. hizo un gesto afirmativo.

—Y el grandullón de los tatuajes —añadió.

—Gracias en el nombre de la Agencia —dijo la pizza—. ¡Y en el de la patria!

—Déjeme que saque de ahí dentro a mis amigos —dijo Michael K.—. Luego, el caso es todo suyo.

—Ni que lo digas... —convino Pizza Pardo—. Ni que lo digas...

Michael K. volvió a entrar rápidamente en la pizzería y sacó de allí a Bob y a Jennifer.

Treinta y tres segundos más tarde un pedazo gigante de pizza irrumpía en el establecimiento exhibiendo una chapa de la AAA y gritando como un energúmeno.

Michael K., Bob, Jennifer y Pelusilla, que ya se alejaban acera adelante, oyeron ruidos como de palas de pizza aporreando una cabeza.

Al llegar a casa de Michael K. oyeron otros ruidos: una sirena de la policía, dos ambulancias, tres camiones de bomberos y el guirigay del equipo de informativos del Canal 11.

—¡Qué música tan bonita! —observó Bob.

—Wiii hiii hiii hiiic —convino Pelusilla.

Capítulo 35

SE LO CONTAMOS DESPUÉS DE LA PUBLICIDAD

ß´ ¬ø çø~tåµøß ∂´ßπ¨´ß
∂´ ¬å π¨∫¬^ç^∂å∂

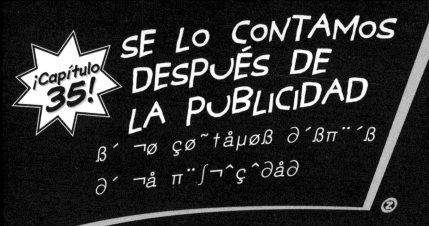

—Vale, creo que al fin lo tengo —dijo Michael K., saltando de su escritorio.

Jennifer estaba sentada en la cama de su amigo, mordisqueando un flamante lápiz rojo.

—«¿Quién es mi vecino?» —leyó Michael K. en voz alta.

»Número uno: Sois M@RCi@N@S , procedentes del planeta M@RCi@N@ .

»Número dos: En vuestro planeta sois ondas energéticas. Nada que ver con seres cabezones y viscosos con ocho brazos. Puesto que todo son ondas, no tenéis más que cambiar de onda para cambiar de aspecto y de voz.

»Número tres: Habéis venido a este planeta con la misión de reclutar a tres millones ciento cuarenta mil un terrícolas que convertir en M@RCi@N@S ... y con los que crear una gigantesca onda cerebral M@RCi@N@ ... De lo contrario, la Tierra se extinguirá.

»Número cuatro: Visteis mi anuncio de Supercrunchies y os lo creísteis.

»Número cinco: No podéis caer en manos de la AAA.

Bob miró sonriente a Michael K.

—*¡ME ENCANTA!* —exclamó, copiando el eslogan de McDonald's.

—¡Qué pasada! —casi gritó Michael K.—. No puedo entregar esta redacción así como está. Tendremos que buscaros una nueva identidad para que parezcáis niños normales.

—¡Adelante! —saltó Jennifer.

—De acuerdo —dijo Michael K.—. Y luego habrá que reclutar a millones de personas para que se unan a nuestra misión M@RCI@N@ .

—¡Prepararemos los cañones láser! —exclamó Jennifer y se zampó el lápiz rojo de un bocado.

—¡No, no, no! —replicó Michael K.—. Lo que haremos será reclutar solo a listos capaces de comprenderlo.

—¿Robots? —preguntó Jennifer.

—No, niños —respondió Michael K.

—*NO TIENE PRECIO* —afirmó Bob.

—Se trata de correr la voz. Empezaremos por la página web —dijo Michael K.

Michael K. tecleó «www.sphdz.com» para entrar a echar otro vistazo.

—¡Puaj! Será mejor que la cambiemos un poquito, ¿no os parece?... Así conseguiremos atraer a los niños y que se suscriban.

—**¡LISTOS PARA EL COMBATE!** —aulló Jennifer.

—¡Viva Michael K.! —exclamó Bob—. Michael K., **¡DES-PIERTA EL TIGRE QUE HAY EN TI!**

—No —dijo Michael K.—, si los **M@RCI@N@5** pueden salvar el planeta, quienes *DESPIERTAN EL TIGRE QUE HAY EN TI* son ellos.

Pelusilla soltó un chillido.

Jennifer soltó un eructo con olor a grafito y madera.

—Otra cosa —dijo Bob.

—¿Qué? —preguntó Michael K.

—¿Nos dirás ahora qué es el papel higiénico y por qué hace felices a los osos?

Superorganismos

Hay seres que no tienen la categoría de orga-nismos más grandes del planeta pero que for-man grupos compuestos de múltiples organis-mos. A estos los llamamos «superorganismos».

La Gran Barrera de Coral, en la costa australiana, es el superorganismo más grande del planeta.

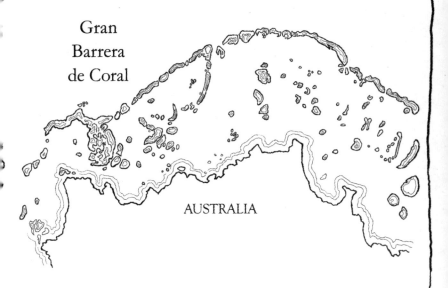

Gran
Barrera
de Coral

AUSTRALIA

¡Cómo será de grande ese superorganismo que hasta se ve desde el espacio!

MÁS NOTICIAS A LAS 10

µåß ˜ø†ˆç ˆåß å ¬åß ¡º

—**D**ía de locos hoy en Brooklyn, Jim.

—Ni que lo digas, Kaity. Hemos grabado unas imágenes del reloj de una sucursal bancaria de Williamsburg completamente dislocado...

»Y todos los semáforos de la Quinta Avenida también se han vuelto locos...

»Ya por último, en un supermercado de Brooklyn el letrero de neón ha empezado a emitir destellos con este rótulo:

M@RCi@N@5

»Según la compañía eléctrica de Nueva York, se desconocen las causas que han podido ocasionar dichas anomalías.

—Qué locura, Jim. Y ya para poner punto final a esta jornada informativa, nos informan de que en ese mismo barrio de Brooklyn una pizza gigante ha asaltado una pizzería. A continuación, nuestro reportero de Canal 11 nos informará de todo lo ocurrido desde el mismo lugar de los hechos...

¡Capítulo 37!

JA, JA, JA

Δå, Δå, Δå

Un letrero de neón escacharrado iluminaba con su chisporroteante y mortecina luz roja una minúscula habitación.

El agente Pardo tomó asiento en el sofá/cama y se aplicó un poco de hielo en sus múltiples chichones. Luego se quitó las zapatillas de Elmo manchadas de pizza.

¿Qué había ocurrido? Había tenido a los extraterrestres en el punto de mira. Ya casi les había echado el guante. Y de buenas a primeras, todo se había ido al garete. Para variar...

Pardo oyó sonar su Telepepinillo®. No tenía ni que mirar para saber que era el jefe. Y no llamaba precisamente para darle la enhorabuena. Llamaba para relegarlo a otro puesto asqueroso.

Así que no atendió a la llamada.

Se dejó caer en el sofá/cama y se dedicó a observar la red de grietas interconectadas en el techo. Y sus pensamientos se conectaron entre sí formando su propia red.

El niño con el monopatín. El aviso de aquella vibración de energía alienígena. Los tipos de la pizzería que resultaron no ser extraterrestres...

¡Eureka! Ya lo tenía. Pues claro: la llamada era una tomadura de pelo. Había sido todo una broma. ¡Ja, ja, ja! Una broma sin importancia. Salvo por los chichones, los reporteros del Canal 11, el mosqueo del jefe y los extraterrestres en paradero desconocido...

¿Acaso iba a permitir que un pequeño contratiempo como aquel le impidiera seguir con su lema de «Proteger, Servir y estar siempre alerta»?

Pardo miró por la ventana y alzó la vista hacia las estrellas que centelleaban sobre el rugido del tráfico.

No, no lo permitiría. Trabajaría aún con más empeño. Sería aún mejor agente. Seguiría la pista de aquellos alienígenas y protegería el planeta... contra viento y marea.

El agente Pardo se sumió a continuación en un inquieto sueño sobre hormigas, ondas y redes, por lo que no llegó a ver el camión de reparto que pasaba junto a su ventana. De haberlo visto, quizás hubiera reparado en la extraña coincidencia de que aquel enorme camión marrón llevara una remesa de monopatines como cargamento.

Monopatines todos ellos de la marca Alien Workshop.

Formaciones

Una colonia de termitas es una formación asombrosa.

Como también lo es un nido de avispas.

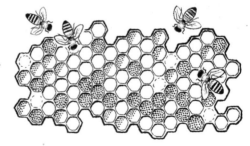

Y un panal de abejas.

Y lo más asombroso es que todos ellos se formen sin que medie plan o jefe alguno.

Cada termita, avispa y abeja aporta su pequeña contribución... y la suma de todas esas pequeñas contribuciones da lugar a un gran proyecto.

—Buenas noches, cariño.

—Buenas noches, mamá —dijo Michael K.

—Y no te quedes mucho rato levantado, ¿eh?

—Vale —contestó Michael K.—. Acabo los deberes y me acuesto.

—¿Algún proyecto de importancia?

—De importancia planetaria —respondió Michael K.

—Bueno, el primer día de cole siempre es una aventura llena de retos y sorpresas.

—Ni que lo digas —confirmó Michael K., dando los últimos retoques a la página web de los M@RCi@N@5—. Ni que lo digas, mamá...

Luego pulsó el contador de la página.

El Generador de nombres de spdhz.com le adjudicó su correspondiente apodo M@RCi@N@: «Fórmula revolucionaria: cinta aislante».

—Fantástico —dijo Michael K.— Ya solo faltan tres millones ciento cuarenta mil.

M@RCI@N@S
M@RCI@N@S
M@RCI@N@S
SPHDZ
000,000,001
M@RCI@N@S
M@RCI@N@S